세상이 변해도
배움의 즐거움은
변함없도록

시대는 빠르게 변해도
배움의 즐거움은
변함없어야 하기에

어제의 비상은
남다른 교재부터
결이 다른 콘텐츠
전에 없던 교육 플랫폼까지

변함없는 혁신으로
교육 문화 환경의 새로운 전형을
실현해왔습니다.

비상은 오늘, 다시 한번
새로운 교육 문화 환경을 실현하기 위한
또 하나의 혁신을 시작합니다.

오늘의 내가 어제의 나를 초월하고
오늘의 교육이 어제의 교육을 초월하여
배움의 즐거움을 지속하는 혁신,

바로, 메타인지학습을.

상상을 실현하는 교육 문화 기업 비상

메타인지학습
초월을 뜻하는 meta와 생각을 뜻하는 인지가 결합된 메타인지는
자신이 알고 모르는 것을 스스로 구분하고 학습계획을 세우도록 하는
궁극의 학습 능력입니다. 비상의 메타인지학습은 메타인시를 키워주어
공부를 100% 내 것으로 만들도록 합니다.

개념+유형
최상위 **탑**

Top
Book

6·1

구성과 특징

기본 실력 점검

STEP 1 핵심 개념과 문제

상위권 실력 향상

STEP 2 상위권 문제

Top Book

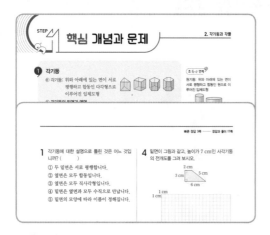

핵심 개념
핵심 교과 개념을 보기 쉽게 정리

교과 개념과 연계된 상위 개념까지 빠짐없이 정리

핵심 문제
개념 이해를 점검할 수 있는 필수 문제로 구성

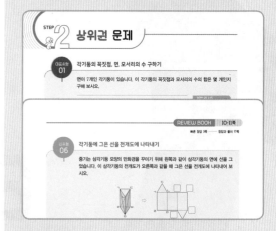

대표유형
단원의 대표 문제를 단계별로 풀 수 있도록 구성

유제
대표유형의 유사 문제로 연습할 수 있도록 구성

신유형
생활 속에서 찾을 수 있는 흥미로운 문제로 구성

1:1 복습

복습 상위권 문제

Review Book

복습 상위권 문제 ── 2. 각기둥과 각뿔

Top Book의 문제를 **Review Book**에서
1:1로 복습하여 최상위권을 정복해요

상위권 실력 완성

STEP 3 상위권 문제 확인과 응용

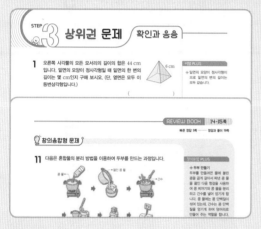

확인
대표유형 문제를 잘 익혔는지 확인할 수 있도록 구성

응용
대표유형 문제를 잘 익혀서 풀 수 있는 응용 문제로 구성

창의융합형 문제
타 과목과 융합된 문제로 구성
흥미 있는 소재의 문제로 구성

1:1 복습

복습 상위권 문제 확인과 응용

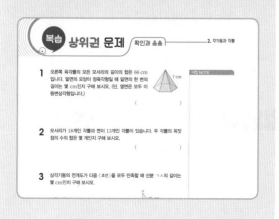

최상위권 완전 정복

STEP 4 최상위권 문제

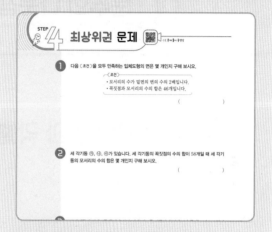

최상위권 문제
종합적 사고력을 기를 수 있는 문제로 구성
최상위권을 정복할 수 있는 최고난도 문제로 구성

1:1 복습

복습 최상위권 문제

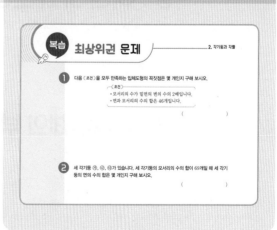

차례

1

분수의 나눗셈

핵심 개념과 문제

 1 **(자연수)÷(자연수)의 몫을 분수로 나타내기**

> **1÷(자연수)의 몫을 분수로 나타내기**

・1÷4의 계산

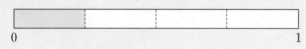

1을 똑같이 4로 나누면 $\dfrac{1}{4}$ 입니다. ⇨ $1 \div 4 = \dfrac{1}{4}$

$$1 \div \bullet = \dfrac{1}{\bullet}$$

> **(자연수)÷(자연수)의 몫을 분수로 나타내기**

・2÷3의 계산

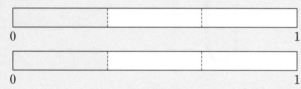

2÷3은 $\dfrac{1}{3}$ 이 2개이므로 $\dfrac{2}{3}$ 입니다. ⇨ $2 \div 3 = \dfrac{2}{3}$

$$\blacktriangle \div \bullet = \dfrac{\blacktriangle}{\bullet}$$

 개념 PLUS

(자연수)÷(자연수)의 몫은 나누어지는 수를 분자, 나누는 수를 분모로 하는 분수로 나타낼 수 있습니다.

 2 **(분수)÷(자연수)**

> **분자가 자연수의 배수인 (분수)÷(자연수)**

・$\dfrac{6}{7} \div 3$의 계산

$$\dfrac{6}{7} \div 3 = \dfrac{6 \div 3}{7} = \dfrac{2}{7}$$

> **분자가 자연수의 배수가 아닌 (분수)÷(자연수)**

・$\dfrac{5}{6} \div 2$의 계산

$$\dfrac{5}{6} \div 2 = \dfrac{10}{12} \div 2 = \dfrac{10 \div 2}{12} = \dfrac{5}{12}$$

분모와 분자에 같은 수를 곱해 크기가 같은 분수를 만듭니다.

개념 PLUS

┃ (분수)÷(자연수)의 계산 방법

① 분자가 자연수의 배수일 때는 분자를 자연수로 나눕니다.
② 분자가 자연수의 배수가 아닐 때는 크기가 같은 분수 중에 분자가 자연수의 배수인 수로 바꾸어 계산합니다.

1 가장 큰 수를 가장 작은 수로 나눈 몫을 분수로 나타내어 보시오.

| 14 | 11 | 3 | 7 |

( )

2 빈칸에 알맞은 분수를 써넣으시오.

$\div$

$\div$

3	13	
5	16	

3 계산을 잘못한 사람의 이름을 쓰고 바르게 계산한 값을 구해 보시오.

- 재호: $\dfrac{2}{15} \div 3 = \dfrac{2}{5}$
- 서우: $\dfrac{12}{17} \div 4 = \dfrac{3}{17}$

(,)

4 계산 결과를 비교하여 ○ 안에 >, =, <를 알맞게 써넣으시오.

$$\dfrac{8}{9} \div 4 \bigcirc \dfrac{2}{5} \div 3$$

5 경아네 모둠과 미호네 모둠은 텃밭을 가꾸기로 했습니다. 오이를 심을 텃밭이 더 넓은 모둠은 어느 모둠인지 구해 보시오.

- 경아: 우리 모둠의 텃밭은 $15\ m^2$야. 상추, 토마토, 오이, 고추를 똑같은 넓이로 심기로 했어.
- 미호: 우리 모둠의 텃밭은 $13\ m^2$야. 감자, 오이, 옥수수를 똑같은 넓이로 심기로 했어.

( )

6 어떤 자연수를 11로 나누어야 할 것을 잘못하여 곱했더니 77이 되었습니다. 바르게 계산하면 얼마인지 그 몫을 분수로 나타내어 보시오.

( )

❸ (분수)÷(자연수)를 분수의 곱셈으로 나타내기

중1 연계

두 수의 곱이 1이 될 때, 한 수를 다른 수의 역수라고 합니다.

예 $\dfrac{3}{5} \times \dfrac{5}{3} = 1$

• $\dfrac{3}{4} \div 2$의 계산

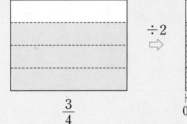 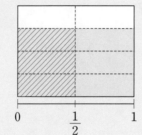

$\dfrac{3}{4}$ 에서 $\dfrac{3}{5}$은 $\dfrac{5}{3}$의 역수

$0 \quad \dfrac{1}{2} \quad 1$ 에서 $\dfrac{5}{3}$는 $\dfrac{3}{5}$의 역수

$\dfrac{3}{4} \div 2$의 몫은 $\dfrac{3}{4}$을 2등분한 것 중의 하나입니다.

이것은 $\dfrac{3}{4}$의 $\dfrac{1}{2}$이므로 $\dfrac{3}{4} \times \dfrac{1}{2}$입니다. ⇨ $\dfrac{3}{4} \div 2 = \dfrac{3}{4} \times \dfrac{1}{2} = \dfrac{3}{8}$

$$\dfrac{\triangle}{\bullet} \div \blacksquare = \dfrac{\triangle}{\bullet} \times \dfrac{1}{\blacksquare}$$

❹ (대분수)÷(자연수)

개념 PLUS

(대분수)÷(자연수)의 계산은 먼저 대분수를 가분수로 바꾼 후 (분수)÷(자연수)와 같은 방법으로 계산합니다.

• $1\dfrac{5}{8} \div 3$의 계산

방법 1 대분수를 가분수로 바꾸고 나누어지는 수의 분자를 자연수의 배수인 수로 바꾸어 계산하기

$$1\dfrac{5}{8} \div 3 = \dfrac{13}{8} \div 3 = \dfrac{39}{24} \div 3 = \dfrac{13}{24}$$

방법 2 대분수를 가분수로 바꾸고 나눗셈을 곱셈으로 나타내어 계산하기

$$1\dfrac{5}{8} \div 3 = \dfrac{13}{8} \div 3 = \dfrac{13}{8} \times \dfrac{1}{3} = \dfrac{13}{24}$$

1 작은 수를 큰 수로 나눈 몫을 구해 보시오.

$$\frac{43}{5} \qquad 9$$

( )

2 잘못 계산한 곳을 찾아 바르게 계산해 보시오.

$$1\frac{4}{7} \div 2 = 1\frac{4 \div 2}{7} = 1\frac{2}{7}$$

$1\frac{4}{7} \div 2$ _____

3 우유 $\frac{4}{5}$ L를 3명이 똑같이 나누어 마시려고 합니다. 한 명이 몇 L씩 마실 수 있습니까?

( )

4 ☐ 안에 알맞은 수를 구해 보시오.

$$7 \times \square = \frac{5}{6}$$

( )

5 나눗셈의 몫이 $\frac{1}{2}$ 보다 큰 것을 모두 찾아 기호를 써 보시오.

㉠ $2\frac{2}{3} \div 4$	㉡ $4\frac{6}{7} \div 17$
㉢ $3\frac{1}{5} \div 8$	㉣ $5\frac{4}{9} \div 7$

( )

6 ☐ 안에 들어갈 수 있는 자연수 중에서 가장 큰 수를 구해 보시오.

$$\frac{\square}{15} < 1\frac{2}{5} \div 3$$

( )

대표유형 01 색칠한 부분의 넓이 구하기

오른쪽 그림은 정오각형을 똑같은 삼각형 5개로 나눈 것입니다. 정오각형의 넓이가 $11\frac{2}{3}$ cm²일 때 색칠한 부분의 넓이는 몇 cm²인지 구해 보시오.

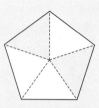

(1) 작은 삼각형 한 개의 넓이는 몇 cm²입니까?

( )

(2) 색칠한 부분의 넓이는 몇 cm²입니까?

( )

> **비법 PLUS**
>
> (▲개로 똑같이 나눈 도형 한 개의 넓이)
> ＝(전체 도형의 넓이)
> ÷▲

유제 1 오른쪽 그림은 정삼각형을 똑같은 삼각형 6개로 나눈 것입니다. 정삼각형의 넓이가 $9\frac{3}{7}$ cm²일 때 색칠한 부분의 넓이는 몇 cm²인지 구해 보시오.

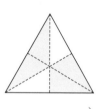

( )

유제 2 오른쪽 그림은 정사각형을 똑같은 사각형 16개로 나눈 것입니다. 색칠한 부분의 넓이는 몇 cm²인지 구해 보시오.

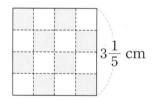

$3\frac{1}{5}$ cm

( )

대표유형 02 도형의 넓이를 알 때 길이 구하기

오른쪽 삼각형의 밑변의 길이는 5 cm이고 넓이는 9 cm²입니다.
이 삼각형의 높이는 몇 cm인지 분수로 나타내어 보시오.

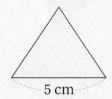

5 cm

(1) 삼각형의 높이를 □ cm라 하고 삼각형의 넓이를 구하는
    식을 써 보시오.

    식 |

(2) 삼각형의 높이는 몇 cm입니까?

    (   )

> 비법 PLUS
>
> (삼각형의 넓이)
> ＝(밑변의 길이)×(높이)
>   ÷2

유제 3

오른쪽 마름모의 한 대각선의 길이는 3 cm이고 넓이는
7 cm²입니다. 이 마름모의 다른 대각선의 길이는 몇 cm인
지 분수로 나타내어 보시오.

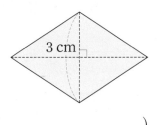

3 cm

(   )

유제 4

오른쪽 사다리꼴의 윗변의 길이는 2 cm, 아랫변의 길이는 5 cm이
고 넓이는 $\frac{49}{5}$ cm²입니다. 이 사다리꼴의 높이는 몇 cm인지 구해
보시오.

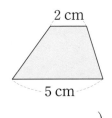

2 cm

5 cm

(   )

1. 분수의 나눗셈 **11**

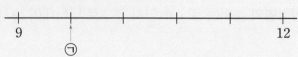
대표유형 03 **수직선에서 나타내는 수 구하기**

수직선에서 ㉠이 나타내는 수를 구해 보시오.

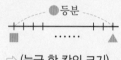

(1) 수직선의 눈금 한 칸의 크기를 분수로 나타내면 얼마입니까?

(   )

(2) 수직선에서 ㉠이 나타내는 수는 얼마입니까?

(   )

비법 PLUS

수직선의 눈금 한 칸의 크기는 ▥와 ▲ 사이를 ●등분한 것 중의 하나입니다.

●등분

▥ ‥‥‥ ▲

⇨ (눈금 한 칸의 크기)
$= (▲ - ▥) \div ●$

유제 5 수직선에서 ㉠이 나타내는 수를 구해 보시오.

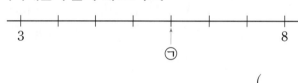

(   )

유제 6 서술형 문제
수직선에서 ㉠과 ㉡이 나타내는 수의 차는 얼마인지 풀이 과정을 쓰고 답을 구해 보시오.

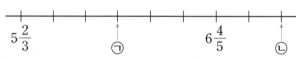

풀이 |

답 |

대표유형 04

계산 결과가 가장 크거나 작은 나눗셈식 만들기

4장의 수 카드 2, 5, 4, 8 을 모두 사용하여 (대분수)÷(자연수)의 나눗셈식을 만들려고 합니다. 계산 결과가 가장 클 때의 몫은 얼마인지 구해 보시오.

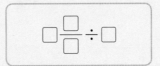

(1) 계산 결과가 가장 클 때의 나누어지는 수와 나누는 수를 각각 구해 보시오.

나누어지는 수 (   )

나누는 수 (   )

(2) 계산 결과가 가장 클 때의 몫은 얼마입니까?

(   )

비법 PLUS

➕ **계산 결과가 가장 클 때**
① 나누는 수에 가장 작은 수 놓기
② 나머지 수로 가장 큰 대분수 만들기

➕ **계산 결과가 가장 작을 때**
① 나누는 수에 가장 큰 수 놓기
② 나머지 수로 가장 작은 대분수 만들기

 7

4장의 수 카드 3, 7, 4, 9 를 모두 사용하여 (대분수)÷(자연수)의 나눗셈식을 만들려고 합니다. 계산 결과가 가장 작을 때의 몫은 얼마인지 구해 보시오.

(   )

유제 8

5장의 수 카드 중에서 4장을 뽑아 한 번씩만 사용하여 (대분수)÷(자연수)의 나눗셈식을 만들려고 합니다. 계산 결과가 가장 작을 때의 몫은 얼마인지 구해 보시오.

(   )

대표유형 05

계산 결과가 자연수가 되도록 만들기

다음 계산 결과가 가장 작은 자연수가 되도록 ▲에 알맞은 자연수를 구해 보시오.

$$3\frac{1}{5} \div 16 \times ▲$$

(1) $3\frac{1}{5} \div 16$은 얼마인지 기약분수로 나타내어 보시오.

( )

(2) 계산 결과가 가장 작은 자연수가 되려면 ▲에 알맞은 자연수는 어떤 수의 배수이어야 합니까?

( )

(3) ▲에 알맞은 자연수는 얼마입니까?

( )

비법 PLUS

㉠ $\div$ ㉡ $\times$ ▦ $= \dfrac{㉠}{㉡} \times$ ▦

에서 계산 결과가 자연수가 되려면 $\dfrac{㉠}{㉡}$의 분모가 약분되어 1이 되어야 하므로 ▦에 알맞은 수는 ㉡의 배수이어야 합니다.

 유제 9

다음 계산 결과가 가장 작은 자연수가 되도록 ★에 알맞은 자연수를 구해 보시오.

$$1\frac{3}{17} \times ★ \div 20$$

( )

 유제 10

다음 계산 결과가 가장 큰 자연수가 되도록 ●에 알맞은 자연수를 구해 보시오.

$$2\frac{●}{9} \div 5 \times 27$$

( )

대표유형 06 상자에 들어 있는 물건의 무게 구하기

무게가 똑같은 통조림 캔 15개가 들어 있는 상자의 무게를 재어 보니 $3\frac{1}{2}$ kg이었습니다. 빈 상자의 무게가 $\frac{2}{5}$ kg일 때 통조림 캔 20개의 무게는 몇 kg인지 구해 보시오.

(1) 통조림 캔 15개의 무게는 몇 kg입니까?

(   )

(2) 통조림 캔 한 개의 무게는 몇 kg입니까?

(   )

(3) 통조림 캔 20개의 무게는 몇 kg입니까?

(   )

> **비법 PLUS**
>
> (물건 ●개의 무게)
> =(●개의 물건이 담긴
> 　상자의 무게)
> 　－(빈 상자의 무게)

유제 **11** 무게가 똑같은 장난감 17개가 들어 있는 상자의 무게를 재어 보니 $7\frac{1}{20}$ kg이었습니다. 빈 상자의 무게가 $\frac{1}{4}$ kg일 때 장난감 48개의 무게는 몇 kg인지 구해 보시오.

(   )

유제 **12** 서술형 문제

무게가 똑같은 야구공이 10개씩 들어 있는 상자 5개의 무게가 $8\frac{3}{4}$ kg입니다. 빈 상자 한 개의 무게가 $\frac{3}{10}$ kg일 때 야구공 한 개의 무게는 몇 kg인지 풀이 과정을 쓰고 답을 구해 보시오.

풀이 |

_____

_____

답 | _____

대표유형 07

고장 난 시계가 가리키는 시각 구하기

현진이네 집에는 일정한 빠르기로 5일에 8분씩 빨라지는 시계가 있습니다. 현진이가 어느 날 이 시계를 오후 5시에 정확히 맞추어 놓았다면 다음 날 오후 5시에 이 시계가 가리키는 시각은 오후 몇 시 몇 분 몇 초인지 구해 보시오.

(1) 이 시계가 하루에 빨라지는 시간은 몇 분인지 분수로 나타내어 보시오.

( )

(2) 위 (1)에서 구한 시간은 몇 분 몇 초입니까?

( )

(3) 다음 날 오후 5시에 이 시계가 가리키는 시각은 오후 몇 시 몇 분 몇 초입니까?

( )

비법 PLUS

(빨라지는 시계의 시각)
＝(정확한 시각)
　＋(빨라진 시간)

유제 13

미혜네 집에는 일정한 빠르기로 일주일에 $8\frac{1}{6}$ 분씩 빨라지는 시계가 있습니다. 미혜가 어느 날 이 시계를 오후 3시에 정확히 맞추어 놓았다면 다음 날 오후 3시에 이 시계가 가리키는 시각은 오후 몇 시 몇 분 몇 초인지 구해 보시오.

( )

유제 14

윤아네 집에는 일정한 빠르기로 3일에 $3\frac{3}{4}$ 분씩 빨라지는 시계가 있습니다. 이 시계를 9월 5일 오전 10시에 정확히 맞추어 놓았다면 9월 6일 오후 6시에 이 시계가 가리키는 시각은 오후 몇 시 몇 분 몇 초인지 구해 보시오.

( )

신유형
08

배가 도착하는 데 걸리는 시간 구하기

강물이 한 시간에 2 km의 빠르기로 가 선착장에서 나 선착장 방향으로 흐르고 있습니다. 한 시간에 15 km의 빠르기로 이동하는 배가 가 선착장에서 출발하여 나 선착장에 가려고 합니다. 이 배가 가 선착장에서 나 선착장까지 가는 데 걸리는 시간은 모두 몇 시간인지 분수로 나타내어 보시오.

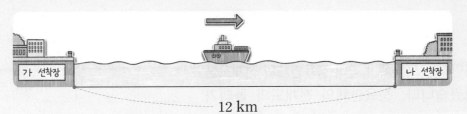

12 km

(1) 배가 가 선착장에서 출발하여 나 선착장으로 갈 때 한 시간 동안 몇 km를 갑니까?

( )

(2) 배가 가 선착장에서 나 선착장까지 가는 데 걸리는 시간은 몇 시간입니까?

( )

신유형 PLUS

• (배가 강물을 따라 내려 갈 때 배의 빠르기)
 =(배의 빠르기)
  +(강물의 빠르기)
• (배가 강물을 거슬러 올 라갈 때 배의 빠르기)
 =(배의 빠르기)
  -(강물의 빠르기)

유제
15

강물이 한 시간에 1 km의 빠르기로 가 선착장에서 나 선착장 방향으로 흐르고 있습니다. 한 시간에 13 km의 빠르기로 이동하는 배가 나 선착장에서 출발하여 가 선착장에 가려고 합니다. 가 선착장과 나 선착장 사이의 거리가 19 km일 때, 이 배가 나 선착장에서 가 선착장까지 가는 데 걸리는 시간은 모두 몇 시간인지 분수로 나타내어 보시오.

( )

유제
16

강물이 한 시간에 3 km의 빠르기로 가 선착장에서 나 선착장 방향으로 흐르고 있습니다. 한 시간에 21 km의 빠르기로 이동하는 배가 가 선착장과 나 선착장을 왕복하고 있습니다. 가 선착장과 나 선착장 사이의 거리가 25 km일 때, 이 배가 가 선착장에서 출발하여 나 선착장을 한 번 왕복하는 데 걸리는 시간은 모두 몇 시간인지 분수로 나타내어 보시오.

( )

1 수직선에서 ㉠이 나타내는 수를 구해 보시오.

$\dfrac{2}{5}$ ㉠ $1\dfrac{3}{4}$

( )

비법 PLUS

2 경민이는 오른쪽과 같이 정육면체의 전개도를 그렸습니다. 정육면체의 전개도의 둘레가 $11\dfrac{1}{5}$ cm일 때 전개도를 접어서 만든 정육면체의 모든 모서리의 길이의 합은 몇 cm인지 구해 보시오.

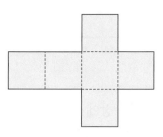

( )

✚ 정육면체의 모서리는 12개 입니다.

3 ㉮$=7\dfrac{1}{5}$이고 ㉯$=9$일 때, 다음 식의 값을 구해 보시오.

$$\dfrac{㉮}{㉯}\times(㉯-4)$$

( )

✚ $\dfrac{㉮}{㉯}$를 나눗셈식으로 나타내면 ㉮÷㉯입니다.

서술형 문제

4 오른쪽 그림은 가장 큰 평행사변형을 똑같은 사각형 6개로 나눈 것 중의 한 부분을 다시 똑같은 사각형 4개로 나눈 것입니다. 색칠한 부분의 넓이는 몇 m²인지 풀이 과정을 쓰고 답을 구해 보시오.

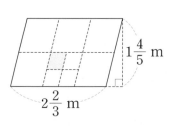

$1\dfrac{4}{5}$ m

$2\dfrac{2}{3}$ m

풀이 |

답 |

5 무게가 똑같은 음료수 병 12개가 들어 있는 상자의 무게를 재어 보니 $12\frac{7}{10}$ kg이었습니다. 빈 상자의 무게가 $\frac{1}{5}$ kg일 때 음료수 병 16개의 무게는 몇 kg인지 구해 보시오.

(   )

비법 PLUS

서술형 문제

6 영후와 재인이는 빵을 만들기 위해 무게가 $5\frac{1}{3}$ kg인 밀가루 반죽을 나누어 가졌습니다. 밀가루 반죽을 재인이가 영후보다 $\frac{1}{4}$ kg 더 많이 가졌다면 영후가 가진 밀가루 반죽의 무게는 몇 kg인지 풀이 과정을 쓰고 답을 구해 보시오.

풀이 |

답 |

➕ 문제를 그림으로 나타내어 봅니다.

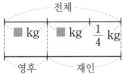

7 그림과 같이 길이가 똑같은 색 테이프 13장을 $\frac{2}{3}$ cm씩 겹쳐지도록 이어 붙였더니 전체 길이는 $85\frac{3}{5}$ cm가 되었습니다. 색 테이프 한 장의 길이는 몇 cm인지 구해 보시오.

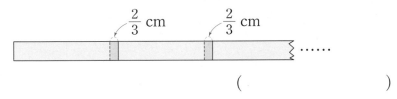

(   )

➕ (겹쳐진 부분의 수)
＝(색 테이프의 수)－1

8 어떤 일을 태오가 혼자서 하면 전체의 $\frac{1}{3}$을 하는 데 4일이 걸리고, 유하가 혼자서 하면 전체의 $\frac{3}{4}$을 하는 데 3일이 걸립니다. 이 일을 두 사람이 함께 한다면 일을 모두 마치는 데 며칠이 걸리는지 구해 보시오. (단, 두 사람이 일하는 빠르기는 각각 일정합니다.)

(   )

비법 PLUS

✚ (하루 동안 하는 일의 양)
＝(한 일의 양)
  ÷(걸린 날수)

9 오른쪽 그림과 같이 정사각형을 크기가 같은 3개의 직사각형으로 나누었습니다. 색칠한 부분의 둘레가 $8\frac{8}{15}$ cm일 때 정사각형의 둘레는 몇 cm인지 구해 보시오.

(   )

✚ 색칠한 부분의 가로를 ▥ cm라 하면 색칠한 부분의 둘레는 (▥×8) cm입니다.

10 두 직선 가와 나는 서로 평행하고 사다리꼴과 평행사변형의 넓이의 합은 68 cm²입니다. 평행사변형의 넓이는 몇 cm²인지 분수로 나타내어 보시오.

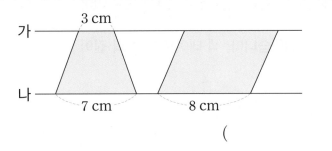

(   )

💡 창의융합형 문제

11 겨울에는 스키나 스노보드를 즐기기 위해 많은 사람들이 스키장을 찾습니다. 스키장에는 스키나 스노보드를 타는 사람들의 수준에 따라 경사도를 다르게 만든 다양한 슬로프가 있습니다. 어느 스키장의 슬로프가 다음과 같을 때 초급 슬로프의 경사도와 상급 슬로프의 경사도의 차는 얼마인지 기약분수로 나타내어 보시오.

기울어진 정도

(단, (경사도)=(수직 거리)÷(수평 거리)입니다.)

슬로프 · 수직 거리 / 수평 거리

슬로프	수직 거리(m)	수평 거리(m)
초급	60	500
중급	117	468
상급	168	525

( )

12 판화란 나무, 금속, 고무 등의 판 위에 그림을 새긴 후 물감이나 잉크를 칠하여 종이나 천 등에 대고 찍어 내는 것을 말합니다. 판화는 똑같은 그림을 여러 장 만들 수 있어서 책을 인쇄하거나 옷의 무늬를 찍어 낼 때 많이 사용합니다. 다음은 은우가 만든 직사각형 모양의 판화 작품입니다. 이 작품의 둘레가 $1\frac{3}{5}$ m일 때 넓이는 몇 m²인지 구해 보시오.

$\frac{3}{10}$ m

( )

❶ 혜미와 현우는 같은 장소에서 출발하여 서로 같은 방향으로 가고 있습니다. 혜미는 12분 동안 $\frac{5}{6}$ km를 가는 빠르기로 걸어가고, 현우는 4분 동안 $\frac{1}{3}$ km를 가는 빠르기로 걸어갑니다. 혜미와 현우가 출발한 지 9분 후 두 사람 사이의 거리는 몇 km가 되는지 구해 보시오.

(   )

❷ 〔보기〕를 보고 다음을 계산해 보시오.

〔보기〕

$$\blacksquare = \blacktriangle + 1 \text{일 때 } \frac{1}{\blacktriangle \times \blacksquare} = \frac{1}{\blacktriangle} - \frac{1}{\blacksquare} \text{입니다.}$$

$$\left(\frac{1}{2} + \frac{1}{6} + \frac{1}{12} + \frac{1}{20} + \frac{1}{30} \right) \div 9$$

(   )

❸ 그림에서 규칙을 찾아 ㉠에 알맞은 수를 구해 보시오.

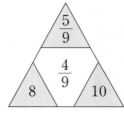
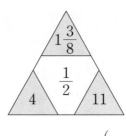
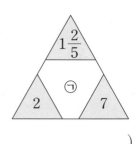

(   )

4 직사각형 ㄱㄴㄷㄹ에서 사다리꼴 ㄱㄴㅁㄹ의 넓이는 삼각형 ㄹㅁㄷ의 넓이의 3배입니다. 선분 ㅁㄷ의 길이는 몇 cm인지 구해 보시오.

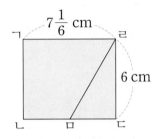

$7\frac{1}{6}$ cm

6 cm

ㄱ   ㄹ

ㄴ   ㅁ   ㄷ

(   )

5 크기가 같은 정사각형 모양의 색종이 2장을 오른쪽 그림과 같이 도화지에 붙였습니다. 색종이를 붙인 부분의 넓이가 32 cm^{2}이고, 색종이 한 장의 넓이는 겹쳐진 부분의 넓이의 4배라고 합니다. 색종이 한 장의 넓이는 몇 cm^{2}인지 분수로 나타내어 보시오.

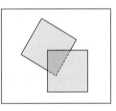

(   )

6 물이 1분에 $3\frac{1}{3}$ L씩 나오는 ㉮ 수도와 1분에 4 L씩 나오는 ㉯ 수도를 동시에 틀면 물을 가득 채우는 데 24분이 걸리는 빈 수조가 있습니다. 이 수조에 ㉮와 ㉯ 수도를 모두 틀어 물을 채우다가 중간에 ㉯ 수도가 고장 나서 ㉮ 수도로만 물을 채웠더니 물을 가득 채우는 데 32분이 걸렸습니다. ㉯ 수도는 튼 지 몇 분 몇 초 만에 고장 난 것인지 구해 보시오.

(   )

그림을 감상해 보세요.

김홍도, 「씨름」, 18세기

2

각기둥과 각뿔

영역: 도형

핵심 개념과 문제

1 각기둥

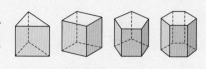

- **각기둥**: 위와 아래에 있는 면이 서로 평행하고 합동인 다각형으로 이루어진 입체도형

각기둥의 밑면과 옆면

- **밑면**: 각기둥에서 서로 평행하고 합동인 두 면
  ⇨ 두 밑면은 나머지 면들과 모두 수직으로 만납니다.
- **옆면**: 각기둥에서 두 밑면과 만나는 면
  ⇨ 옆면은 모두 직사각형입니다.

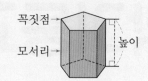

각기둥의 이름

각기둥은 밑면의 모양에 따라 이름이 정해집니다.

밑면의 모양	삼각형	사각형	오각형	……	■각형
각기둥의 이름	삼각기둥	사각기둥	오각기둥	……	■각기둥

한 밑면의 변의 수: ■개 ●

각기둥의 구성 요소

- **모서리**: 면과 면이 만나는 선분
- **꼭짓점**: 모서리와 모서리가 만나는 점
- **높이**: 두 밑면 사이의 거리

2 각기둥의 전개도

- **각기둥의 전개도**: 각기둥의 모서리를 잘라서 평면 위에 펼쳐 놓은 그림

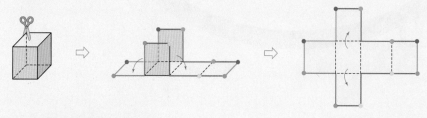

각기둥의 전개도 그리기

모서리를 자르는 방법에 따라 전개도를 다양하게 그릴 수 있습니다.

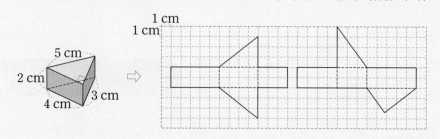

1 각기둥에 대한 설명으로 <u>틀린</u> 것은 어느 것입니까? (　　　)

① 두 밑면은 서로 평행합니다.
② 옆면은 모두 합동입니다.
③ 옆면은 모두 직사각형입니다.
④ 밑면은 옆면과 모두 수직으로 만납니다.
⑤ 밑면의 모양에 따라 이름이 정해집니다.

2 각기둥을 보고 빈칸에 알맞은 수를 써넣으시오.

꼭짓점의 수(개)	면의 수(개)	모서리의 수(개)

3 전개도를 접어서 각기둥을 만들었습니다. □ 안에 알맞은 수를 써넣으시오.

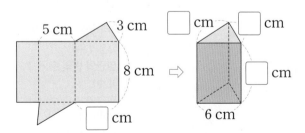

4 밑면이 그림과 같고, 높이가 7 cm인 사각기둥의 전개도를 그려 보시오.

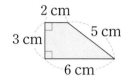

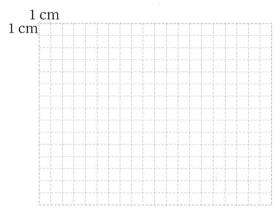

5 모서리가 27개인 각기둥의 이름을 써 보시오.

(　　　　　　　)

6 모든 모서리의 길이가 같은 육각기둥이 있습니다. 이 육각기둥의 모든 모서리의 길이의 합이 126 cm일 때 한 모서리의 길이는 몇 cm입니까?

(　　　　　　　)

3 각뿔

◗ **각뿔**: 밑에 놓인 면이 다각형이고 옆으로 둘러싼 면이 모두 삼각형인 입체도형

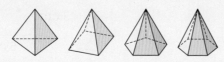

◗ **각뿔의 밑면과 옆면**

• **밑면**: 각뿔에서 밑에 놓인 면
• **옆면**: 각뿔에서 밑면과 만나는 면
  ⇨ 옆면은 모두 삼각형입니다.

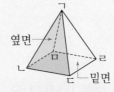

참고 각기둥과 각뿔의 비교

	각기둥	각뿔
밑면의 모양	다각형	다각형
밑면의 수(개)	2	1
옆면의 모양	직사각형	삼각형
옆면의 수(개)	한 밑면의 변의 수	밑면의 변의 수

◗ **각뿔의 이름**

각뿔은 밑면의 모양에 따라 이름이 정해집니다.

밑면의 모양	삼각형	사각형	오각형	……	▲각형
각뿔의 이름	삼각뿔	사각뿔	오각뿔	……	▲각뿔

밑면의 변의 수: ▲개

◗ **각뿔의 구성 요소**

• **모서리**: 면과 면이 만나는 선분
• **꼭짓점**: 모서리와 모서리가 만나는 점
• **각뿔의 꼭짓점**: 꼭짓점 중에서도 옆면이 모두 만나는 점
• **높이**: 각뿔의 꼭짓점에서 밑면에 수직인 선분의 길이

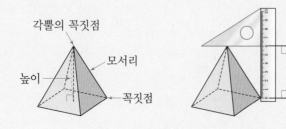

초 6-2 연계

원뿔: 평평한 면이 원이고 옆을 둘러싼 면이 굽은 면인 뿔 모양의 입체도형

개념 PLUS

┃ **각뿔의 구성 요소의 수**

• (꼭짓점의 수)
  =(밑면의 변의 수)+1
• (면의 수)
  =(밑면의 변의 수)+1
• (모서리의 수)
  =(밑면의 변의 수)×2

┃ **각기둥과 각뿔의 공통적인 규칙**
꼭짓점과 면의 수의 합은 항상 모서리의 수보다 2만큼 더 큽니다.

(꼭짓점의 수)+(면의 수)
=(모서리의 수)+2

1 각뿔의 특징을 모두 찾아 기호를 써 보시오.

> ㉠ 밑면은 2개입니다.
> ㉡ 옆면은 모두 합동입니다.
> ㉢ 옆면의 수는 밑면의 변의 수와 같습니다.
> ㉣ 밑면은 다각형이고 옆면은 모두 삼각형
>   입니다.

(   )

2 다음 입체도형이 각뿔이 아닌 이유를 써 보시오.

이유 |

_____

_____

3 각뿔을 보고 ☐ 안에 알맞은 수를 써넣으시오.

> (꼭짓점의 수)＋(모서리의 수)＝ ☐

4 다음 각기둥과 각뿔의 공통점을 모두 찾아 기호를 써 보시오.

가   나

> ㉠ 밑면의 모양   ㉡ 옆면의 모양
> ㉢ 밑면의 수   ㉣ 옆면의 수

(   )

5 꼭짓점이 13개인 각뿔의 이름을 써 보시오.

(   )

6 옆면이 오른쪽과 같은 삼각형 8개로 이루어진 각뿔이 있습니다. 이 각뿔의 모든 모서리의 길이의 합은 몇 cm입니까?

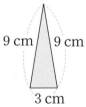

9 cm 9 cm

3 cm

(   )

상위권 문제

대표유형 01

각기둥의 꼭짓점, 면, 모서리의 수 구하기

면이 7개인 각기둥이 있습니다. 이 각기둥의 꼭짓점과 모서리의 수의 합은 몇 개인지 구해 보시오.

(1) 이 각기둥의 한 밑면의 변은 몇 개입니까?

(   )

(2) 이 각기둥의 꼭짓점과 모서리의 수의 합은 몇 개입니까?

(   )

> **비법 PLUS**
>
> 각기둥에서
> - (꼭짓점의 수)
>   =(한 밑면의 변의 수)×2
> - (면의 수)
>   =(한 밑면의 변의 수)+2
> - (모서리의 수)
>   =(한 밑면의 변의 수)×3

유제 1

꼭짓점이 12개인 각기둥이 있습니다. 이 각기둥의 모서리와 면의 수의 차는 몇 개인지 구해 보시오.

(   )

유제 2

다음 (조건)을 만족하는 각기둥이 있습니다. 이 각기둥의 꼭짓점은 몇 개인지 구해 보시오.

┌─ 조건 ─────────────────────┐
  (면의 수)+(모서리의 수)=38
└───────────────────────────┘

(   )

대표유형 02

각뿔의 꼭짓점, 면, 모서리의 수 구하기

꼭짓점이 5개인 각뿔이 있습니다. 이 각뿔의 면과 모서리의 수의 합은 몇 개인지 구해 보시오.

(1) 이 각뿔의 밑면의 변은 몇 개입니까?

( )

(2) 이 각뿔의 면과 모서리의 수의 합은 몇 개입니까?

( )

> **비법 PLUS**
>
> 각뿔에서
> - (꼭짓점의 수)
>   =(밑면의 변의 수)+1
> - (면의 수)
>   =(밑면의 변의 수)+1
> - (모서리의 수)
>   =(밑면의 변의 수)×2

유제
3

모서리가 14개인 각뿔이 있습니다. 이 각뿔의 꼭짓점과 면의 수의 합은 몇 개인지 구해 보시오.

( )

서술형 문제
4

꼭짓점과 모서리의 수의 합이 25개인 각뿔이 있습니다. 이 각뿔의 면은 몇 개인지 구하려고 합니다. 풀이 과정을 쓰고 답을 구해 보시오.

풀이 |

답 |

STEP 2 상위권 문제

대표유형 03

각기둥의 모든 모서리의 길이의 합 구하기

오른쪽 전개도를 접었을 때 만들어지는 사각기둥의 모든 모서리의 길이의 합은 몇 cm인지 구해 보시오.

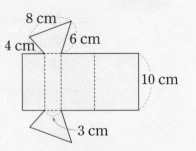

(1) 사각기둥의 한 밑면의 둘레는 몇 cm입니까?

( )

(2) 사각기둥의 모든 모서리의 길이의 합은 몇 cm입니까?

( )

비법 PLUS

(각기둥의 모든 모서리의 길이의 합)
＝(한 밑면의 둘레)×2
　＋(높이)
　　×(한 밑면의 변의 수)

유제 5

오른쪽 전개도를 접었을 때 만들어지는 삼각기둥의 모든 모서리의 길이의 합은 몇 cm인지 구해 보시오.

( )

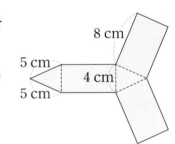

유제 6

서술형 문제

오른쪽 전개도를 접었을 때 만들어지는 육각기둥의 모든 모서리의 길이의 합은 몇 cm인지 풀이 과정을 쓰고 답을 구해 보시오. (단, 밑면의 모양은 정육각형입니다.)

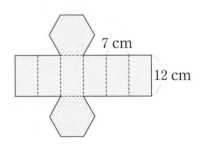

풀이 |

답 |

대표유형 04

각기둥의 전개도에서 선분의 길이 구하기

오른쪽 삼각기둥의 전개도에서 직사각형 ㄱㄴㄷㄹ의 넓이는 72 cm²입니다. 선분 ㄱㄴ의 길이는 몇 cm인지 구해 보시오.

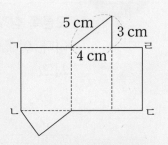

(1) 선분 ㄱㄹ의 길이는 몇 cm입니까?

( )

(2) 선분 ㄱㄴ의 길이는 몇 cm입니까?

( )

비법 PLUS

전개도를 접었을 때 만나는 선분의 길이는 같습니다.

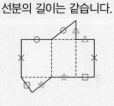

유제 7

오른쪽 사각기둥의 전개도에서 직사각형 ㄱㄴㄷㄹ의 넓이는 176 cm²입니다. 선분 ㄹㄷ의 길이는 몇 cm인지 구해 보시오.

( )

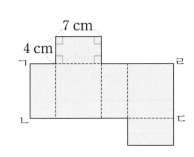

유제 8

오른쪽 사각기둥의 전개도에서 직사각형 ㄱㄴㄷㄹ의 넓이는 360 cm²입니다. 선분 ㄱㄴ의 길이는 몇 cm인지 구해 보시오.

( )

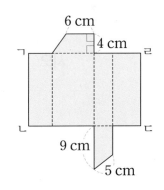

2. 각기둥과 각뿔 **33**

대표유형 05 자른 입체도형의 꼭짓점, 면, 모서리의 수 구하기

오른쪽 삼각기둥을 색칠한 면을 따라 잘라 두 개의 각기둥을 만들었습니다. 이때 생기는 두 각기둥의 모서리의 수의 합은 몇 개인지 구해 보시오.

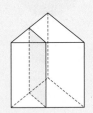

(1) 삼각기둥을 색칠한 면을 따라 잘랐을 때 생기는 두 각기둥의 이름을 각각 써 보시오.

(,   )

(2) 생기는 두 각기둥의 모서리의 수의 합은 몇 개입니까?

(   )

> **비법 PLUS**
> 한 각기둥을 잘라서 만든 두 각기둥의 이름은 밑면의 모양으로 알 수 있습니다.

유제 9 오른쪽 오각기둥을 색칠한 면을 따라 잘라 두 개의 각기둥을 만들었습니다. 이때 생기는 두 각기둥의 면의 수의 합은 몇 개인지 구해 보시오.

(   )

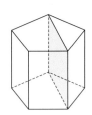

유제 10 오른쪽 육각기둥을 색칠한 면을 따라 잘라 두 개의 각기둥을 만들었습니다. 이때 생기는 두 각기둥의 꼭짓점의 수의 차는 몇 개인지 구해 보시오.

(   )

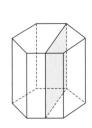

신유형 06

각기둥에 그은 선을 전개도에 나타내기

중기는 삼각기둥 모양의 만화경을 꾸미기 위해 왼쪽과 같이 삼각기둥의 면에 선을 그었습니다. 이 삼각기둥의 전개도가 오른쪽과 같을 때 그은 선을 전개도에 나타내어 보시오.

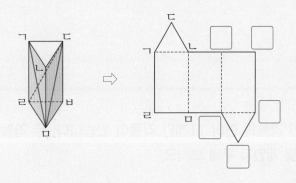

(1) 위 전개도의 ☐ 안에 알맞은 기호를 써넣으시오.

(2) 그은 선을 전개도에 나타내어 보시오.

신유형 PLUS

전개도를 접었을 때 만나는 꼭짓점의 기호를 쓰면 선이 그어진 면을 찾기 쉽습니다.

11 인성이는 오각기둥 모양의 저금통을 꾸미기 위해 왼쪽과 같이 오각기둥의 면에 선을 그었습니다. 이 오각기둥의 전개도가 오른쪽과 같을 때 그은 선을 전개도에 나타내어 보시오.

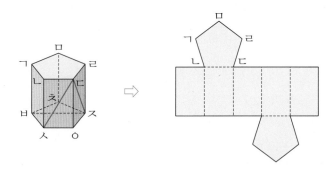

12 혜교는 사각기둥 모양의 상자를 꾸미기 위해 왼쪽과 같이 사각기둥의 면에 선을 그었습니다. 이 사각기둥의 전개도가 오른쪽과 같을 때 그은 선을 전개도에 나타내어 보시오.

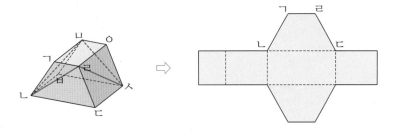

1 오른쪽 사각뿔의 모든 모서리의 길이의 합은 44 cm 입니다. 밑면의 모양이 정사각형일 때 밑면의 한 변의 길이는 몇 cm인지 구해 보시오. (단, 옆면은 모두 이 등변삼각형입니다.)

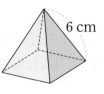
6 cm

(   )

2 모서리가 24개인 각뿔과 면이 11개인 각뿔이 있습니다. 두 각뿔의 꼭짓 점의 수의 합은 몇 개인지 구해 보시오.

(   )

3 사각기둥의 전개도가 다음 〈조건〉을 모두 만족할 때 선분 ㄱㅈ의 길이는 몇 cm인지 구해 보시오.

〈조건〉
• 각기둥의 높이는 12 cm입니다.
• 면 ㉮의 넓이는 55 cm²입니다.
• 면 ㉯의 넓이는 132 cm²입니다.

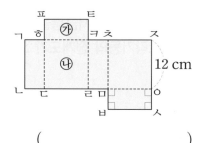
12 cm

(   )

4 사각기둥 모양의 상자를 오른쪽 그림과 같이 끈으 로 묶으려고 합니다. 필요한 끈의 길이는 적어도 몇 cm인지 구해 보시오. (단, 매듭의 길이는 생각 하지 않습니다.)

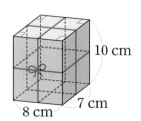
10 cm
8 cm   7 cm

(   )

서술형 **문제**

5 꼭짓점, 면, 모서리의 수의 합이 62개인 각기둥의 이름은 무엇인지 풀이 과정을 쓰고 답을 구해 보시오.

비법 PLUS

✚ 각기둥은 밑면의 모양에 따라 이름이 정해집니다.

풀이|

_____

_____

답| _____

6 옆면이 모두 오른쪽과 같은 삼각형으로 이루어진 각뿔이 있습니다. 이 각뿔의 모든 모서리의 길이의 합이 84 cm일 때 꼭짓점과 모서리의 수의 합은 몇 개인지 구해 보시오.

✚ 각뿔에서 밑면의 변의 수와 옆면끼리 만나서 생기는 모서리의 수는 같습니다.

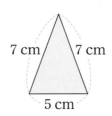

7 cm 7 cm

5 cm

(   )

7 다음과 같은 모양의 종이를 사용하여 입체도형을 만들려고 합니다. ㉮ 모양 2장, ㉯ 모양 2장, ㉰ 모양 1장을 모두 사용하여 만든 입체도형의 모든 모서리의 길이의 합은 몇 cm인지 구해 보시오.

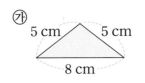

㉮

5 cm   5 cm

8 cm

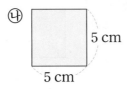

㉯

5 cm

5 cm

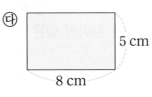

㉰

5 cm

8 cm

(   )

8 어느 각뿔의 꼭짓점과 모서리의 수의 합이 37개입니다. 이 각뿔과 밑면의 모양이 같은 각기둥의 꼭짓점, 면, 모서리의 수의 합은 몇 개인지 구해 보시오.

(   )

서술형 문제

9 오른쪽은 밑면의 모양이 정오각형인 각기둥입니다. 이 각기둥을 밑면에 수직으로 잘라 모양과 크기가 같은 각기둥 5개를 만들었습니다. 이때 생기는 각기둥 5개의 모서리의 수의 합은 몇 개인지 풀이 과정을 쓰고 답을 구해 보시오.

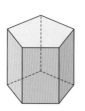

풀이 |

_____

_____

답 | _____

10 밑면이 정다각형이고 높이가 15 cm인 입체도형이 있습니다. 이 입체도형의 꼭짓점이 14개이고 옆면이 모두 오른쪽과 같을 때 모든 모서리의 길이의 합은 몇 cm인지 구해 보시오.

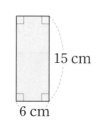

15 cm

6 cm

(   )

💡 창의융합형 문제

11 다음은 혼합물의 분리 방법을 이용하여 두부를 만드는 과정입니다.

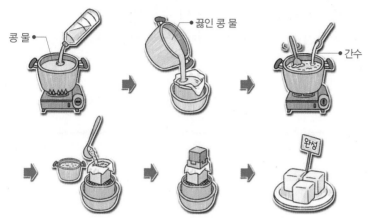

오른쪽 입체도형은 완성된 사각기둥 모양의 두부의 네 꼭짓점 부분을 삼각뿔 모양만큼 잘라낸 것입니다. 이 입체도형의 꼭짓점은 몇 개인지 구해 보시오.

(   )

12 풍기대는 풍기를 꽂던 받침대입니다. 경복궁에 남아 있는 풍기대의 크기는 아랫단의 높이가 80.8 cm, 위 팔각기둥의 높이가 143.5 cm입니다. 팔각기둥의 밑면이 정팔각형이고 모든 모서리의 길이의 합이 1452 cm일 때 밑면의 한 변의 길이는 몇 cm인지 구해 보시오.

▲ 경복궁 풍기대

(   )

1 다음 (조건)을 모두 만족하는 입체도형의 면은 몇 개인지 구해 보시오.

(조건)
- 모서리의 수가 밑면의 변의 수의 2배입니다.
- 꼭짓점과 모서리의 수의 합은 46개입니다.

(   )

2 세 각기둥 ㉮, ㉯, ㉰가 있습니다. 세 각기둥의 꼭짓점의 수의 합이 58개일 때 세 각기둥의 모서리의 수의 합은 몇 개인지 구해 보시오.

(   )

3 오각기둥의 전개도를 둘레가 가장 길게 되도록 만든다면 전개도의 둘레는 몇 cm인지 구해 보시오. (단, 밑면의 모양은 정오각형입니다.)

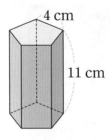

4 cm
11 cm

(   )

4 밑면의 모양이 같은 각기둥과 각뿔이 있습니다. 각기둥에서 꼭짓점, 면, 모서리의 수의 합과 각뿔에서 꼭짓점, 면, 모서리의 수의 합의 차가 20개일 때 각뿔의 이름을 써 보시오.

(   )

5 높이가 12 cm인 칠각기둥의 옆면에 모두 페인트를 칠한 후 바닥에 놓고 한 방향으로 3바퀴 굴렸더니 바닥에 색칠된 부분의 넓이가 756 cm²였습니다. 이 칠각기둥의 모든 모서리의 길이의 합은 몇 cm인지 구해 보시오.

(   )

6 그림과 같이 삼각기둥의 꼭짓점 ㄱ에서 점 ㅅ과 점 ㅇ을 지나 꼭짓점 ㄹ까지 선을 그었습니다. 선의 길이가 가장 짧을 때 선분 ㅇㅂ의 길이는 몇 cm인지 구해 보시오.

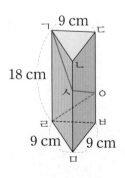

(   )

그림을 감상해 보세요.

장 프랑수아 밀레, 「이삭 줍는 사람들」, 1857년

3

소수의 나눗셈

핵심 개념과 문제

1 자연수의 나눗셈을 이용한 (소수)÷(자연수)

• 628÷2를 이용하여 62.8÷2와 6.28÷2 계산하기

$$628 \div 2 = 314$$

$$62.8 \div 2 = 31.4$$

$$6.28 \div 2 = 3.14$$

$\frac{1}{100}$ 배, $\frac{1}{10}$ 배

나누는 수가 같을 때 나누어지는 수가 $\frac{1}{10}$ 배, $\frac{1}{100}$ 배가 되면 몫도 $\frac{1}{10}$ 배, $\frac{1}{100}$ 배가 됩니다.

2 각 자리에서 나누어떨어지지 않는 (소수)÷(자연수)

• 29.61÷7의 계산

방법 1 분수의 나눗셈으로 바꾸어 계산하기

$$29.61 \div 7 = \frac{2961}{100} \div 7$$

$$= \frac{2961 \div 7}{100}$$

$$= \frac{423}{100} = 4.23$$

방법 2 세로로 계산하기

• 몫의 소수점은 나누어지는 수의 소수점을 올려 찍습니다.

```
      4.2 3
  7)2 9.6 1
    2 8
      1 6
      1 4
        2 1
        2 1
          0
```

초 6-2 연계

▮ (소수)÷(소수)

나누는 수가 자연수가 되도록 나누는 수와 나누어지는 수의 소수점을 오른쪽으로 같은 자리씩 옮겨서 계산합니다.

예 1.2÷0.2의 계산

```
        6
0.2)1.2  ⇨  0.2)1.2
              1 2
                0
```

3 몫이 1보다 작은 소수인 (소수)÷(자연수)

• 5.34÷6의 계산

방법 1 분수의 나눗셈으로 바꾸어 계산하기

$$5.34 \div 6 = \frac{534}{100} \div 6$$

$$= \frac{534 \div 6}{100}$$

$$= \frac{89}{100} = 0.89$$

방법 2 세로로 계산하기

• 자연수 부분이 비어 있을 경우 몫의 일의 자리에 0을 씁니다.

```
    0.8 9
  6)5.3 4
    4 8
      5 4
      5 4
        0
```

개념 PLUS

▮ ■÷▲에서 몫의 범위

• ■ > ▲ ⇨ (몫)>1
• ■ < ▲ ⇨ (몫)<1

1 계산 결과를 비교하여 ◯ 안에 >, =, <를 알맞게 써넣으시오.

$$17.85 \div 7 \bigcirc 13.65 \div 5$$

2 442는 ㉠의 몇 배입니까?

$$442 \div 2 = 221 \Rightarrow ㉠ \div 2 = 2.21$$

( )

3 계산이 잘못된 곳을 찾아 바르게 계산해 보시오.

$$
\begin{array}{r}
2.3 \\
7\overline{)1.6\,1} \\
1\,4 \\
\hline
2\,1 \\
2\,1 \\
\hline
0
\end{array}
\Rightarrow
\begin{array}{r}
 \\
7\overline{)1.6\,1}
\end{array}
$$

4 무게가 똑같은 신발 7켤레의 무게를 재었더니 6.44 kg이었습니다. 신발 한 켤레의 무게는 몇 kg입니까?

( )

5 길이가 33.48 cm인 철사를 겹치지 않게 모두 사용하여 마름모 1개를 만들었습니다. 만든 마름모의 한 변은 몇 cm입니까?

( )

6 민서는 밑변의 길이가 3 cm이고 높이가 4 cm 인 삼각형을 그렸고, 하린이는 밑변의 길이가 7.14 cm이고 높이가 4 cm인 삼각형을 그렸습니다. 하린이가 그린 삼각형의 넓이는 민서가 그린 삼각형의 넓이의 몇 배입니까?

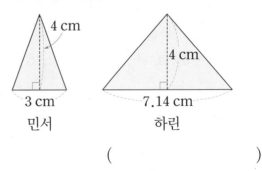

민서   하린

( )

핵심 개념과 문제

4 소수점 아래 0을 내려 계산해야 하는 (소수)÷(자연수)
- 7.4÷5의 계산

방법 1 분수의 나눗셈으로 바꾸어 계산하기

$$7.4 \div 5 = \frac{740}{100} \div 5$$
$$= \frac{740 \div 5}{100}$$
$$= \frac{148}{100} = 1.48$$

방법 2 세로로 계산하기

```
      1.4 8
   5)7.4 0
     5
     ──
     2 4
     2 0
     ──
       4 0
       4 0
       ───
         0
```
• 소수점 아래에서 나누어떨어지지 않는 경우에는 0을 하나 더 내려 계산합니다.

개념 PLUS ➕

$7.4 \div 5 = \frac{74}{10} \div 5 = \frac{74 \div 5}{10}$에서 $74 \div 5$가 나누어떨어지지 않으므로 7.4를 분모가 100인 분수인 $\frac{740}{100}$으로 바꾸어 계산합니다.

5 몫의 소수 첫째 자리에 0이 있는 (소수)÷(자연수)
- 16.4÷8의 계산

방법 1 분수의 나눗셈으로 바꾸어 계산하기

$$16.4 \div 8 = \frac{1640}{100} \div 8$$
$$= \frac{1640 \div 8}{100}$$
$$= \frac{205}{100} = 2.05$$

방법 2 세로로 계산하기

```
      2.0 5
   8)1 6.4 0
     1 6
     ───
         4 0
         4 0
         ───
           0
```
• 수를 하나 내려도 나누어야 할 수가 나누는 수보다 작을 경우에는 몫에 0을 쓰고 수를 하나 더 내려 계산합니다.

6 (자연수)÷(자연수)의 몫을 소수로 나타내기
- 3÷4의 계산

방법 1 몫을 분수로 나타낸 다음 소수로 나타내기

$$3 \div 4 = \frac{3}{4} = \frac{75}{100} = 0.75$$

방법 2 세로로 계산하기

```
      0.7 5
   4)3.0 0
     2 8
     ───
       2 0
       2 0
       ───
         0
```
• 몫의 소수점은 자연수 바로 뒤에서 올려서 찍습니다.
• 소수점 아래에서 내릴 수가 없는 경우에는 0을 내려 계산합니다.

초 6-2 연계 ➡

▌(자연수)÷(소수)
나누는 수가 자연수가 되도록 나누는 수와 나누어지는 수의 소수점을 오른쪽으로 같은 자리씩 옮겨서 계산합니다.

예 6÷1.2의 계산

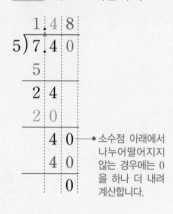

7 몫의 소수점 위치 확인하기
- 어림셈을 이용하여 34.8÷3의 몫의 소수점 위치 확인하기

$$34.8 \div 3 = 1\square 1\square 6$$

• 34.8을 반올림하여 일의 자리까지 나타내면 35입니다.

어림 $35 \div 3 \Rightarrow$ 약 12 ▶ 몫 $1\square 1.\square 6$

1 빈칸에 알맞은 소수를 써넣으시오.

$\div 5$ $\div 4$

81

2 어림셈하여 몫의 소수점 위치가 올바른 식을 찾아 ◯표 하시오.

$$2.82 \div 6 = 470$$
$$2.82 \div 6 = 47$$
$$2.82 \div 6 = 4.7$$
$$2.82 \div 6 = 0.47$$

3 몫이 큰 것부터 차례대로 기호를 써 보시오.

㉠ $25.3 \div 5$ ㉡ $48.3 \div 6$
㉢ $15 \div 4$ ㉣ $50 \div 8$

(   )

4 새로 개발한 자동차의 성능을 검사해 보니 휘발유 2 L로 38.1 km를 갈 수 있다고 합니다. 이 자동차가 휘발유 1 L로 갈 수 있는 거리는 몇 km입니까?

(   )

5 딸기 91.4 g을 4명이 똑같이 나누어 먹었습니다. 한 명이 먹은 딸기는 몇 g입니까?

(   )

6 ☐ 안에 들어갈 수 있는 자연수는 모두 몇 개입니까?

$$26 \div 8 < ☐ < 30 \div 4$$

(   )

STEP 2 상위권 문제

 대표유형 01

바르게 계산한 값 구하기

어떤 소수를 7로 나누어야 할 것을 잘못하여 7을 곱했더니 11.27이 되었습니다. 바르게 계산한 값을 구해 보시오.

(1) 어떤 소수는 얼마입니까?

( )

(2) 바르게 계산하면 얼마입니까?

( )

비법 PLUS

곱셈과 나눗셈의 관계를 이용합니다.

■ × ● = ▲

⇨ ■ = ▲ ÷ ●

 유제 1

어떤 소수를 8로 나누어야 할 것을 잘못하여 8을 곱했더니 73.6이 되었습니다. 바르게 계산한 값을 구해 보시오.

( )

유제 2

서술형 문제

어떤 소수를 9로 나누어야 할 것을 잘못하여 7로 나누었더니 0.63이 되었습니다. 바르게 계산한 값은 얼마인지 풀이 과정을 쓰고 답을 구해 보시오.

풀이 |

답 |

도형의 넓이를 이용하여 길이 구하기

오른쪽 그림은 정사각형의 한 변과 삼각형의 밑변을 겹치지 않게 붙여서 만든 도형입니다. 전체 도형의 넓이가 36 cm²일 때 삼각형의 높이는 몇 cm인지 구해 보시오.

5 cm

(1) 정사각형의 넓이는 몇 cm²입니까?

(   )

비법 PLUS

정사각형의 한 변과 삼각형의 밑변은 길이가 같습니다.

(2) 삼각형의 넓이는 몇 cm²입니까?

(   )

(3) 삼각형의 높이는 몇 cm입니까?

(   )

유제 3

오른쪽 그림은 정사각형의 양쪽 변에 합동인 삼각형 2개의 밑변을 겹치지 않게 붙여서 만든 도형입니다. 전체 도형의 넓이가 98 cm²일 때 삼각형의 높이는 몇 cm인지 구해 보시오.

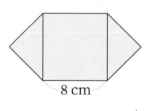

8 cm

(   )

유제 4

오른쪽 그림에서 삼각형 ㄹㅁㄷ의 넓이는 직사각형 ㄱㄴㄷㄹ의 넓이의 0.4배입니다. 선분 ㅁㄷ의 길이는 몇 cm인지 구해 보시오.

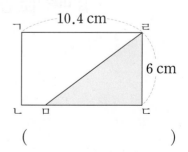

10.4 cm

6 cm

(   )

대표유형 03

수 카드로 몫이 가장 크거나 가장 작은 나눗셈식 만들기

수 카드 9, 4, 7, 2를 한 번씩만 모두 사용하여 다음과 같은 나눗셈식을 만들려고 합니다. 몫이 가장 큰 나눗셈식을 만들고 계산해 보시오.

$$\square . \square\square \div \square$$

(1) 수 카드를 한 번씩만 사용하여 몫이 가장 큰 나눗셈식이 되도록 위의 □ 안에 알맞은 수를 써넣으시오.

(2) 위 (1)에서 만든 나눗셈식을 계산해 보시오.

( )

> **비법 PLUS**
>
> ✚ 몫이 가장 큰 나눗셈식 만들기
> 나누어지는 수는 가장 크게, 나누는 수는 가장 작게 만듭니다.

유제

5 수 카드 5, 6, 2, 8을 한 번씩만 사용하여 다음과 같은 나눗셈식을 만들려고 합니다. 몫이 가장 작은 나눗셈식을 만들고 계산해 보시오.

$$\square . \square\square \div \square$$

( )

유제

6 수 카드 6, 4, 7, 8 중 3장을 골라 한 번씩만 사용하여 다음과 같은 나눗셈식을 만들려고 합니다. 몫이 가장 큰 나눗셈식을 만들고 계산해 보시오.

$$\square\square \div \square$$

( )

대표유형 04

물건의 무게 구하기

무게가 똑같은 젤리 16개가 들어 있는 봉지의 무게는 155.36 g입니다. 도란이가 젤리 5개를 먹은 후 봉지의 무게를 다시 재어 보니 113.06 g이었습니다. 젤리 9개의 무게는 몇 g인지 구해 보시오.

(1) 젤리 5개의 무게는 몇 g입니까?

(   )

(2) 젤리 1개의 무게는 몇 g입니까?

(   )

(3) 젤리 9개의 무게는 몇 g입니까?

(   )

> 비법 PLUS
>
> (젤리 5개의 무게)
> =(젤리 16개가 들어 있는 봉지의 무게)−(젤리 5개를 먹은 후 다시 잰 봉지의 무게)

유제

7 무게가 똑같은 연필 한 타가 들어 있는 필통의 무게는 142.8 g입니다. 이 필통에서 연필 3자루를 꺼내 친구에게 주고 필통의 무게를 다시 재어 보니 121.95 g이었습니다. 연필 5자루의 무게는 몇 g인지 구해 보시오.

(   )

유제

8 무게가 똑같은 책 20권이 들어 있는 상자의 무게는 22.73 kg입니다. 이 상자에서 책 7권을 꺼낸 후 상자의 무게를 다시 재어 보니 14.89 kg이었습니다. 빈 상자의 무게는 몇 kg인지 구해 보시오.

(   )

대표유형 05 나무 사이의 간격 구하기

길이가 63.27 m인 직선 도로의 양쪽에 나무 20그루를 같은 간격으로 심으려고 합니다. 도로의 시작과 끝에도 나무를 심는다면 나무 사이의 간격을 몇 m로 해야 하는지 구해 보시오. (단, 나무의 두께는 생각하지 않습니다.)

(1) 도로의 한쪽에 심어야 할 나무는 몇 그루입니까?

(   )

(2) 도로의 한쪽에 심을 나무 사이의 간격은 몇 군데입니까?

(   )

(3) 나무 사이의 간격은 몇 m로 해야 합니까?

(   )

비법 PLUS

+ 도로의 한쪽에 처음부터 끝까지 나무를 심을 때 나무의 수와 간격의 수의 관계

- (나무의 수)
  =(간격의 수)+1
- (간격의 수)
  =(나무의 수)-1

유제 9 길이가 54.16 m인 직선 도로의 양쪽에 나무 18그루를 같은 간격으로 심으려고 합니다. 도로의 시작과 끝에도 나무를 심는다면 나무 사이의 간격을 몇 m로 해야 하는지 구해 보시오. (단, 나무의 두께는 생각하지 않습니다.)

(   )

유제 10 둘레가 25.69 m인 원 모양의 연못 둘레에 나무 7그루를 같은 간격으로 심으려고 합니다. 나무 사이의 간격을 몇 m로 해야 하는지 구해 보시오. (단, 나무의 두께는 생각하지 않습니다.)

(   )

대표유형 06

단위시간 동안 가는 거리 구하기

일정한 빠르기로 한 시간에 50 km를 가는 자동차가 있습니다. 이 자동차로 39분 동안 간 거리를 자전거를 타고 가면 2시간이 걸린다고 합니다. 자전거의 빠르기가 일정하다면 자전거로 한 시간 동안 가는 거리는 몇 km인지 구해 보시오.

(1) 39분은 몇 시간인지 소수로 나타내어 보시오.

( )

(2) 자동차로 39분 동안 간 거리는 몇 km입니까?

( )

(3) 자전거로 한 시간 동안 가는 거리는 몇 km입니까?

( )

> **비법 PLUS**
> • 1시간＝60분
> ⇨ ■분＝$\frac{■}{60}$시간
> • (자전거로 한 시간 동안 가는 거리)
> ＝(자동차로 39분 동안 간 거리)
> ÷(자전거를 타고 가는 데 걸린 시간)

 유제 11

일정한 빠르기로 한 시간에 86 km를 가는 자동차가 있습니다. 이 자동차로 2시간 42분 동안 간 거리를 버스를 타고 가면 4시간이 걸린다고 합니다. 버스의 빠르기가 일정하다면 버스로 한 시간 동안 가는 거리는 몇 km인지 구해 보시오.

( )

유제 12

서술형 문제

영준이는 1분에 72 m를 가는 빠르기로 걷습니다. 어떤 공원의 둘레를 걸어서 한 바퀴 도는 데 영준이는 7분 21초가 걸리고, 효선이는 8분이 걸립니다. 효선이가 일정한 빠르기로 걸었다면 1분 동안 걸은 거리는 몇 m인지 풀이 과정을 쓰고 답을 구해 보시오.

풀이 |

답 |

대표유형 07 고장 난 시계가 가리키는 시각 구하기

하니의 시계는 일정한 빠르기로 일주일에 22.68분씩 빨라집니다. 오늘 오전 9시에 하니의 시계를 정확히 맞추었습니다. 5일 후 오전 9시에 하니의 시계가 가리키는 시각은 오전 몇 시 몇 분 몇 초인지 구해 보시오.

(1) 하니의 시계가 하루에 빨라지는 시간은 몇 분인지 소수로 나타내어 보시오.

(   )

(2) 하니의 시계가 5일 동안 빨라지는 시간은 몇 분인지 소수로 나타내어 보시오.

(   )

(3) 5일 후 오전 9시에 하니의 시계가 가리키는 시각은 오전 몇 시 몇 분 몇 초입니까?

(   )

> **비법 PLUS**
>
> | 날수 | 빨라지는 시간 |
> |---|---|
> | ■일 ⇨ | ●분 |
> | 하루 ⇨ | (●÷■)분 |
> | ▲일 ⇨ | (●÷■×▲)분 |

유제 13 도우의 시계는 일정한 빠르기로 8일에 24.4분씩 늦어집니다. 오늘 오후 3시에 도우의 시계를 정확히 맞추었습니다. 9일 후 오후 3시에 도우의 시계가 가리키는 시각은 오후 몇 시 몇 분 몇 초인지 구해 보시오.

(   )

유제 14 장희와 수아는 오늘 오후 1시에 시계를 정확히 맞추고 국토 대장정을 시작했습니다. 장희의 시계는 일정한 빠르기로 5주일에 1.25시간씩 늦어지고, 수아의 시계는 일정한 빠르기로 6주일에 1.14시간씩 빨라집니다. 국토 대장정을 시작한 지 2주일 후 오후 1시에 장희와 수아의 시계가 각각 가리키는 시각의 차는 몇 시간인지 소수로 나타내어 보시오.

(   )

신유형
08

규칙을 찾아 식을 세워 계산하기

다음을 보고 규칙을 찾아 빈칸에 알맞은 소수를 구해 보시오.

9 5	11 2	10 8	15 6
2.8	6.5	2.25	

(1) 규칙을 찾아 써 보시오.

규칙 |

신유형 PLUS

안의 두 수를 어떻게 계산하면 ⬤ 의 수가 되는지 규칙을 찾아봅니다.

(2) 빈칸에 알맞은 소수는 얼마입니까?

(   )

유제
15

다음을 보고 규칙을 찾아 빈칸에 알맞은 소수를 구해 보시오.

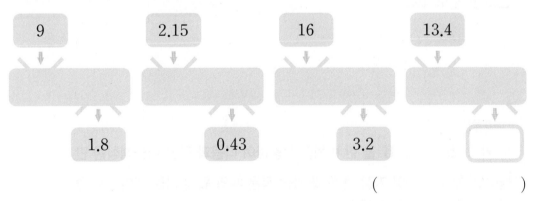

9	2.15	16	13.4
1.8	0.43	3.2	

(   )

유제
16

다음을 보고 규칙을 찾아 빈칸에 알맞은 소수를 구해 보시오.

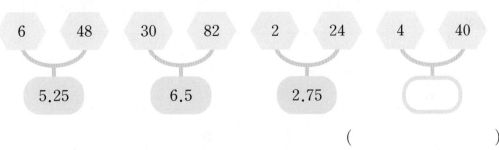

6 48	30 82	2 24	4 40
5.25	6.5	2.75	

(   )

비법 PLUS

1 수박 1개의 무게는 멜론 5개의 무게와 같고 멜론 1개의 무게는 참외 9개의 무게와 같습니다. 수박 1개의 무게가 8.1 kg일 때 참외 1개의 무게는 몇 kg인지 구해 보시오.

(   )

2 수직선에서 19.97과 50 사이를 똑같이 7칸으로 나누었을 때 ☐ 안에 알맞은 수를 구해 보시오.

19.97   50

☐

(   )

✚ 먼저 수직선의 눈금 한 칸의 크기를 구합니다.

3 오른쪽 그림과 같이 둘레가 75.6 cm인 정사각형을 9칸으로 똑같이 나누었습니다. 색칠된 부분의 넓이는 몇 cm^2인지 구해 보시오.

(   )

✚ 색칠된 부분의 넓이는 가장 작은 정사각형의 넓이의 4배입니다.

서술형 문제

4 수 카드 5 , 4 , 6 을 한 번씩만 사용하여 다음과 같은 나눗셈식을 만들려고 합니다. 몫이 가장 클 때와 가장 작은 때의 몫의 차는 얼마인지 풀이 과정을 쓰고 답을 구해 보시오.

☐☐ ÷ ☐

풀이 |

답 |

서술형 문제

5 무게가 똑같은 도시락 12개가 들어 있는 바구니의 무게는 20.6 kg입니다. 이 바구니에서 도시락 3개를 꺼낸 후 바구니의 무게를 다시 재어 보니 15.62 kg이었습니다. 이 바구니에서 도시락 4개를 더 꺼냈을 때 바구니의 무게는 몇 kg인지 풀이 과정을 쓰고 답을 구해 보시오.

풀이 |

답 |

비법 PLUS

✚ 먼저 도시락 1개의 무게를 구합니다.

6 지동이는 집에서 출발하여 할머니 댁까지 가려고 합니다. 일정한 빠르기로 한 시간에 65 km를 가는 버스로 2시간 45분 동안 갔더니 남은 거리가 20.3 km였습니다. 지동이네 집에서 출발하여 할머니 댁까지 자동차로 가는 데 3시간이 걸린다고 합니다. 자동차의 빠르기가 일정하다면 자동차로 한 시간 동안 가는 거리는 몇 km인지 구해 보시오.

(　　　　　)

✚ (한 시간 동안 간 거리)
　＝(전체 간 거리)
　　÷(걸린 시간)

7 어떤 나눗셈의 몫을 쓰는 데 잘못하여 소수점을 오른쪽으로 한 칸 옮겨 적었더니 바르게 계산한 몫과의 차가 84.15가 되었습니다. 바르게 계산한 몫을 구해 보시오.

(　　　　　)

✚ 먼저 잘못 옮겨 적은 몫은 바르게 계산한 몫의 몇 배인지 구합니다.

8 다음 그림은 정사각형 ㄱㄴㄷㄹ을 합동인 작은 정사각형으로 나눈 것입니다. 삼각형 ㅁㄴㄷ의 넓이가 40.5 cm²일 때 빨간색 선의 길이는 몇 cm인지 구해 보시오.

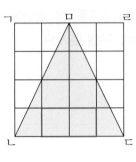

(   )

비법 PLUS

➕ 빨간색 선의 길이는 작은 정사각형의 한 변의 길이의 몇 배인지 알아봅니다.

9 길이가 9.5 cm인 색 테이프 8장을 그림과 같이 일정한 길이만큼씩 겹치게 이어 붙였더니 전체 길이가 63.26 cm가 되었습니다. 색 테이프를 몇 cm씩 겹치게 이어 붙였는지 구해 보시오.

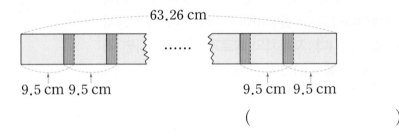

(   )

➕ 색 테이프 ■장을 겹치게 이어 붙였을 때 겹쳐진 부분의 수
⇨ (■−1)군데

10 어떤 정사각형의 가로를 1.5배로 늘이고 세로를 6배로 늘여서 직사각형을 만들었습니다. 새로 만든 직사각형의 넓이가 처음 정사각형의 넓이보다 34 cm²만큼 더 넓을 때, 처음 정사각형의 넓이는 몇 cm²인지 구해 보시오.

(   )

➕ (새로 만든 직사각형의 넓이)
−(처음 정사각형의 넓이)
=34(cm²)

💡 창의융합형 문제

11 시베리아 허스키는 시베리아 유목민의 썰매를 끌던 개로 주인에 대한 충성심이 높고 인내와 끈기를 갖고 있으며 적응력도 뛰어납니다. 다음은 시베리아 허스키 종인 삼순이와 복실이의 몸무게를 기록한 것입니다. 어느 강아지의 몸무게가 일주일 동안 몇 kg 더 많이 늘어났는지 구해 보시오. (단, 강아지는 각각 일정한 빠르기로 성장합니다.)

	3월 1일 오후 1시	4월 12일 오후 1시
삼순이	3.02 kg	6.5 kg
복실이	3.46 kg	6.64 kg

(,   )

12 우리의 몸은 우리가 먹는 음식을 통해 열량을 얻고, 활동을 통해 열량을 소모합니다. 얻은 열량에 비해 소모하는 열량이 적을 경우 비만이나 각종 질병이 생깁니다. 다음은 몸무게가 50 kg인 사람이 5분 동안 운동을 할 때 운동의 종류별 소모하는 열량과 음식의 1인분당 열량을 각각 조사하여 나타낸 표입니다. 몸무게가 50 kg인 수연이가 초콜릿 1인분을 먹었을 때 섭취한 열량을 자전거를 타서 모두 소모하려면 자전거를 몇 시간 몇 분 몇 초 동안 타야 하는지 구해 보시오.

5분 동안 소모하는 열량

운동	열량(kcal)
산책	3
자전거 타기	25
수영	32
줄넘기	35

음식의 1인분당 열량

음식	열량(kcal)
햄버거	2038.48
초콜릿	326.75
라면	543
아이스크림	206.31

(   )

최상위권 문제

《 문제 풀이 동영상

1 오른쪽 그림과 같이 정사각형을 합동인 3개의 직사각형으로 나누었습니다. 색칠한 직사각형의 둘레가 48.4 cm일 때 처음 정사각형의 둘레는 몇 cm인지 구해 보시오.

(   )

2 철근 한 개를 한 번 자를 때마다 1분씩 쉬어 가며 7도막으로 자르는 데 16.4분이 걸렸습니다. 철근 한 개를 한 번 자를 때마다 2분씩 쉬어 가며 10도막으로 자르려면 몇 분이 걸리는지 구해 보시오. (단, 철근을 한 번 자르는 데 걸리는 시간은 같습니다.)

(   )

3 다음 조건을 만족하는 자연수 ㉠, ㉡이 있습니다. ㉠÷㉡의 몫이 가장 클 때와 가장 작은 때의 몫의 차를 구해 보시오.

> • $21.6 < ㉠ < 30$
> • $36 \div 8 < ㉡ < 49.26 \div 6$

(   )

4 그림과 같은 이등변삼각형과 직사각형이 있습니다. 이등변삼각형이 화살표 방향으로 7초에 4.34 cm씩 일직선으로 움직인다면 15초 후 두 도형이 서로 겹쳐지는 부분의 넓이는 몇 cm²인지 구해 보시오.

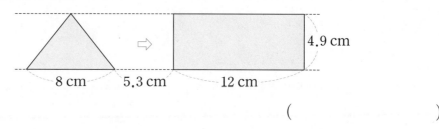

(　　　　　　　)

5 둘레가 1909.2 m인 원 모양의 호수 둘레를 윤영이와 의건이가 같은 곳에서 동시에 출발하여 서로 반대 방향으로 걸었습니다. 윤영이는 5분에 238 m를, 의건이는 7분에 443.8 m를 걸었습니다. 두 사람이 일정한 빠르기로 걷는다면 출발한 지 몇 분 몇 초 후에 처음으로 만나는지 구해 보시오.

(　　　　　　　)

6 오른쪽 마름모 ㄱㄴㄷㄹ의 한 변의 길이는 103.05 cm입니다. 점 ㅁ 은 점 ㄱ을 출발하여 마름모의 둘레를 따라 시계 반대 방향으로 1분 에 9 cm씩 움직입니다. 삼각형 ㄱㅁㅇ의 넓이가 처음으로 마름모 ㄱㄴㄷㄹ의 넓이의 $\frac{1}{4}$이 되는 때는 점 ㅁ이 점 ㄱ을 출발한 지 몇 분 몇 초 후인지 구해 보시오.

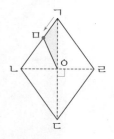

(　　　　　　　)

그림을 감상해 보세요.

피에르 오귀스트 르누아르, 「두 자매」, 1881년

4

비와 비율

1 **두 수의 비교**

남학생 6명과 여학생 3명이 있을 때 학생 수를 나눗셈으로 비교하기

- $6 \div 3 = 2$, 남학생 수는 여학생 수의 2배입니다.
- $3 \div 6 = \dfrac{1}{2}$, 여학생 수는 남학생 수의 $\dfrac{1}{2}$배입니다.

2 **비**

비: 두 수를 나눗셈으로 비교하기 위해 기호 :을 사용하여 나타낸 것

비교하는 양 $\longrightarrow 5 : 1 \longleftarrow$ 기준량 $\Rightarrow$

- 5 대 1
- 5와 1의 비
- 5의 1에 대한 비
- 1에 대한 5의 비

3 **비율**

- 비율: 기준량에 대한 비교하는 양의 크기

$$(비율) = (비교하는\ 양) \div (기준량) = \frac{(비교하는\ 양)}{(기준량)}$$

- 비 $3 : 10$의 비율 $\Rightarrow$ 분수 $\dfrac{3}{10}$ 소수 0.3

개념 PLUS

$(비율) = \dfrac{(비교하는\ 양)}{(기준량)}$

$\Rightarrow (비교하는\ 양)$
$= (기준량) \times (비율)$

초 6-2 연계

비례식: 비율이 같은 두 비를 기호 '='를 사용하여 나타낸 식
예 $3 : 10 = 6 : 20$

4 **비율이 사용되는 경우**

- 2시간 동안 250 km를 간 자동차가 가는 데 걸린 시간에 대한 간 거리의 비율 구하기

$$\Rightarrow (비율) = \frac{(간\ 거리)}{(걸린\ 시간)} = \frac{250}{2} (= 125)$$

- 넓이가 2 km²이고 인구가 3500명인 지역의 넓이에 대한 인구의 비율 구하기

$$\Rightarrow (비율) = \frac{(인구)}{(넓이)} = \frac{3500}{2} (= 1750)$$

- 흰색 물감 250 mL에 검은색 물감 10 mL를 섞었을 때 흰색 물감 양에 대한 검은색 물감 양의 비율 구하기

$$\Rightarrow (비율) = \frac{(검은색\ 물감의\ 양)}{(흰색\ 물감의\ 양)} = \frac{10}{250} \left(= \frac{1}{25} = 0.04 \right)$$

개념 PLUS

실생활에서 비율이 사용되는 여러 가지 경우
- 타율: 전체 타수에 대한 안타 수의 비율
- 축척: 실제 거리에 대한 지도에서 거리의 비율
- 이자율: 예금한 돈에 대한 이자의 비율

1 직사각형의 가로와 세로를 나눗셈으로 비교해 보시오.

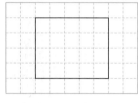

(   )

2 알맞은 말에 ○표 하여 문장을 완성하고, 그 이유를 써 보시오.

> 5 : 8과 8 : 5는 (같습니다 , 다릅니다).

이유|

_____

_____

3 빈칸에 알맞은 수를 써넣으시오.

비 \ 비율	분수	소수
2 : 5		
4에 대한 3의 비		
2의 16에 대한 비		

4 정삼각형과 정사각형의 둘레가 각각 다음과 같을 때 정사각형의 한 변의 길이에 대한 정삼각형의 한 변의 길이의 비를 써 보시오.

둘레: 27 cm

둘레: 32 cm

(   )

5 ㉮ 버스는 160 km를 가는 데 2시간이 걸렸고, ㉯ 버스는 225 km를 가는 데 3시간이 걸렸습니다. 두 버스의 걸린 시간에 대한 간 거리의 비율을 각각 구해 보시오.

㉮ 버스 (   )

㉯ 버스 (   )

6 두 마을의 넓이에 대한 인구의 비율을 각각 구하고, 두 마을 중 인구가 더 밀집한 곳을 구해 보시오.

마을	행복 마을	사랑 마을
인구(명)	14400	10000
넓이(km^2)	12	8
넓이에 대한 인구의 비율		

(   )

5 **백분율**

○ **백분율**

- 백분율: 기준량을 **100**으로 할 때의 비율
- 백분율은 기호 %를 사용하여 나타내고, %는 퍼센트라고 읽습니다.
- 비율 $\dfrac{25}{100}$ ⇨ **쓰기** 25 % **읽기** 25 퍼센트

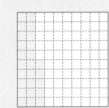

$$\dfrac{25}{100}=25\,\%$$

○ **비율을 백분율로 나타내기**

- 비율 $\dfrac{13}{20}$ 을 백분율로 나타내기

 방법 1 기준량이 100인 비율로 나타내고 분자에 기호 %를 붙이기

$$\dfrac{13}{20}=\dfrac{65}{100} \Rightarrow 65\,\%$$

 방법 2 비율에 100을 곱한 다음, 곱에 기호 %를 붙이기

$$\dfrac{13}{20} \times 100 = 65 \Rightarrow 65\,\%$$

6 **백분율이 사용되는 경우**

- 빵의 가격이 800원에서 600원으로 내렸을 때 빵의 <u>할인율</u> 구하기

 ⇨ (할인 금액)=800−600=200(원)이므로 ●→ 원래 가격에 대한 할인 금액의 비율

$$(빵의 \ 할인율)=\dfrac{200}{800} \times 100 = 25(\%)$$

- 200명이 투표하고 후보가 80표를 득표했을 때 후보의 <u>득표율</u> 구하기

 ⇨ (후보의 득표율)$=\dfrac{80}{200} \times 100 = 40(\%)$ ●→ 전체 투표수에 대한 득표수의 비율

- 소금 60 g을 녹여 소금물 500 g을 만들었을 때 <u>소금물의 진하기</u> 구하기

 ⇨ (소금물의 진하기)$=\dfrac{60}{500} \times 100 = 12(\%)$ ●→ 소금물 양에 대한 소금 양의 비율

중1 연계

농도: 어떤 물질이 물에 녹아 있는 양의 정도를 수치로 나타낸 것

$$(용액의 \ 농도)$$
$$=\dfrac{(용질의 \ 양)}{(용액의 \ 양)} \times 100$$

1 비율을 백분율로 <u>잘못</u> 나타낸 것을 찾아 기호를 써 보시오.

> ㉠ $\frac{3}{5}$ ⇨ 60 %
>
> ㉡ 0.5 ⇨ 5 %
>
> ㉢ 1.7 ⇨ 170 %

(   )

2 공장에서 인형 800개를 만들면 불량품 40개가 나온다고 합니다. 전체 인형 수에 대한 불량품 수의 비율을 백분율로 나타내어 보시오.

(   )

3 60 %만큼 색칠해 보시오.

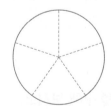

4 민서와 윤아는 농구공 던져 넣기를 했습니다. 민서와 윤아의 성공률은 각각 몇 %입니까?

> • 민서: 공을 20번 던져서 13번을 넣었어.
> • 윤아: 공을 30번 던져서 18번을 넣었어.

민서 (   )

윤아 (   )

5 ㉮ 영화는 그 영화관에서 관람석 수에 대한 관객 수의 비율이 82 %이고, ㉯ 영화는 그 영화관에서 관람석 240석당 192명이 봤습니다. 어느 영화가 관람석 수에 대한 관객 수의 비율이 더 높은지 구해 보시오.

(   )

6 지우는 소금 48 g을 녹여 소금물 300 g을 만들었고, 현우는 소금 34 g을 녹여 소금물 200 g을 만들었습니다. 두 사람이 만든 소금물의 진하기는 각각 몇 %인지 구하고, 누가 만든 소금물이 더 진한지 구해 보시오.

지우 (   )

현우 (   )

더 진한 소금물을 만든 사람

(   )

상위권 문제

 대표유형 01 **도형의 넓이의 비 구하기**

평행사변형의 넓이와 마름모의 넓이의 비를 구해 보시오.

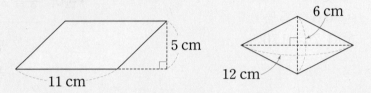

(1) 평행사변형의 넓이는 몇 cm^2입니까?

( )

(2) 마름모의 넓이는 몇 cm^2입니까?

( )

(3) 평행사변형의 넓이와 마름모의 넓이의 비를 구해 보시오.

( )

비법 PLUS

■와 ▲의 비
■의 ▲에 대한 비
▲에 대한 ■의 비
⇨ ■ : ▲

유제 **1** 삼각형의 넓이의 사다리꼴의 넓이에 대한 비를 구해 보시오.

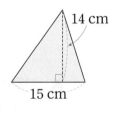
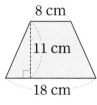

( )

유제 **2** 직사각형 ㉯의 넓이에 대한 정사각형 ㉮의 넓이의 비를 구해 보시오.

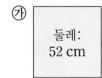
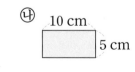

( )

조건을 모두 만족하는 비 구하기

〈조건〉을 모두 만족하는 비를 구해 보시오.

┌─〈조건〉─────┐
• 비율이 0.8입니다.
• 기준량과 비교하는 양의 차가 5입니다.
└────────────┘

(1) 비율 0.8을 기약분수로 나타내어 보시오.

(   )

(2) 조건을 모두 만족하는 비를 구해 보시오.

(   )

비법 PLUS

$(비율)=\dfrac{(비교하는\ 양)}{(기준량)}$ 이

므로 비율이 같은 분수 중 분모와 분자의 차가 5인 분수를 구합니다.

3 〈조건〉을 모두 만족하는 비를 구해 보시오.

┌─〈조건〉─────┐
• 비율이 0.25입니다.
• 기준량과 비교하는 양의 합이 15입니다.
└────────────┘

(   )

서술형 문제

4 〈조건〉을 모두 만족하는 비를 구하려고 합니다. 풀이 과정을 쓰고 답을 구해 보시오.

┌─〈조건〉─────┐
• 비율이 60 %입니다.
• 기준량과 비교하는 양의 차가 8입니다.
└────────────┘

풀이 |

_____

_____

_____

답 | _____

대표유형 03 할인율 구하기

어느 가게에서 판매하는 물건의 정가와 판매 가격을 나타낸 표입니다. 할인율이 가장 높은 물건은 무엇인지 구해 보시오.

물건	장난감 로봇	인형	농구공
정가(원)	15000	10000	6000
판매 가격(원)	12000	7000	3000

(1) 물건의 할인율은 각각 몇 %입니까?

장난감 로봇 (   )

인형 (   )

농구공 (   )

(2) 할인율이 가장 높은 물건은 무엇입니까?

(   )

> **비법 PLUS**
> • (할인 금액)
> =(정가)-(판매 가격)
> • (할인율)
> = (할인 금액) / (정가)

유제 5

어느 옷 가게에서 판매하는 옷의 정가와 판매 가격을 나타낸 표입니다. 할인율이 가장 낮은 옷은 무엇인지 구해 보시오.

옷	바지	치마	티셔츠
정가(원)	30000	25000	15000
판매 가격(원)	24000	20500	13500

(   )

유제 6

준규는 슈퍼마켓에서 지난주에 과자 5봉지를 4000원에 샀는데 이번 주에는 지난주에 산 과자와 똑같은 과자 4봉지를 할인하여 2400원에 샀습니다. 과자 한 봉지의 할인율은 몇 %인지 구해 보시오.

(   )

대표유형 04

예금하여 찾을 수 있는 돈 구하기

어느 은행에 50000원을 1년 동안 예금하면 이자로 1500원을 받는다고 합니다. 이 은행에 40000원을 예금한다면 1년 뒤에 찾을 수 있는 돈은 모두 얼마인지 구해 보시오.

(1) 이 은행에 1년 동안 예금했을 때의 이자율을 소수로 나타내어 보시오.

(   )

(2) 이 은행에 40000원을 1년 동안 예금한다면 받는 이자는 얼마입니까?

(   )

(3) 이 은행에 40000원을 예금한다면 1년 뒤에 찾을 수 있는 돈은 모두 얼마입니까?

(   )

> **비법 PLUS**
> - (이자율)$=\dfrac{(이자)}{(예금한 돈)}$
> - (이자)
> $=$(예금한 돈)$\times$(이자율)
> - (찾을 수 있는 돈)
> $=$(예금한 돈)$+$(이자)

유제 7

어느 은행에 80000원을 1년 동안 예금하면 이자로 2000원을 받는다고 합니다. 이 은행에 60000원을 예금한다면 1년 뒤에 찾을 수 있는 돈은 모두 얼마인지 구해 보시오.

(   )

유제 8

어느 은행에 20000원을 1년 동안 예금하면 이자로 400원을 받는다고 합니다. 이 은행에 소을이가 150000원을 예금한다면 2년 뒤에 찾을 수 있는 돈은 모두 얼마인지 구해 보시오. (단, 예금한 원금에만 이자가 붙습니다.)

(   )

대표유형
05

새로 만든 용액의 진하기 구하기

진하기가 10 %인 소금물 150 g에 소금 30 g을 더 넣었습니다. 새로 만든 소금물의 진하기는 몇 %인지 구해 보시오.

소금물 150 g + 소금 30 g =

(1) 진하기가 10 %인 소금물에 녹아 있는 소금의 양은 몇 g입니까?

(   )

(2) 새로 만든 소금물의 진하기는 몇 %입니까?

(   )

> **비법 PLUS**
>
> (소금물의 진하기)
> $=\dfrac{(\text{소금 양})}{(\text{소금물 양})}$

유제
9

진하기가 5 %인 설탕물 200 g에 설탕 50 g을 더 넣었습니다. 새로 만든 설탕물의 진하기는 몇 %인지 구해 보시오.

(   )

유제
10

진하기가 20 %인 소금물 150 g과 진하기가 10 %인 소금물 350 g을 섞었습니다. 새로 만든 소금물의 진하기는 몇 %인지 구해 보시오.

(   )

신유형
06

연비 비교하기

자동차를 선택할 때 중요한 기준 중 하나는 연비입니다. 연비란 자동차의 단위 연료 (1 L)당 주행 거리(km)의 비율로 연비가 높을수록 연료비를 절약할 수 있습니다. 민기네 아버지께서는 빠름 자동차와 안전 자동차 중 연비가 더 높은 자동차를 구입하셨습니다. 빠름 자동차는 연료 20 L를 넣으면 240 km를 달릴 수 있고, 안전 자동차는 연료 30 L를 넣으면 390 km를 달릴 수 있습니다. 민기네 아버지께서 구입하신 자동차는 어느 자동차인지 구해 보시오.

(1) 빠름 자동차와 안전 자동차의 연비는 각각 얼마입니까?

빠름 자동차 (   )

안전 자동차 (   )

(2) 빠름 자동차와 안전 자동차 중 민기네 아버지께서 구입하신 자동차는 어느 자동차입니까?

(   )

신유형 PLUS

➕ 생활에서 연비를 높이는 운전 습관

다음과 같은 운전 습관으로 연료비를 줄이고 환경오염도 줄일 수 있습니다.

• 급출발, 급제동 금지
• 트렁크 비우기
• 필요한 만큼 주유하기
• 고속 주행 시 창문 닫기

유제
11

㉮ 자동차는 연료 15 L를 넣으면 225 km를 달릴 수 있고, ㉯ 자동차는 연료 35 L를 넣으면 490 km를 달릴 수 있습니다. ㉮ 자동차와 ㉯ 자동차 중 연비가 더 높은 자동차는 어느 자동차인지 구해 보시오.

(   )

유제
12

서술형 문제

㉮ 자동차는 연료 40 L를 넣으면 440 km를, ㉯ 자동차는 연료 24 L를 넣으면 384 km를, ㉰ 자동차는 연료 38 L를 넣으면 570 km를 달릴 수 있습니다. ㉮ 자동차, ㉯ 자동차, ㉰ 자동차 중 연비가 가장 높은 자동차는 어느 자동차인지 풀이 과정을 쓰고 답을 구해 보시오.

풀이|

답|

1 비교하는 양이 기준량보다 작은 것을 모두 찾아 기호를 써 보시오.

비법 PLUS

> ㉠ $\dfrac{10}{9}$ ㉡ 0.95   ㉢ 15 %   ㉣ 108 %

( )

2 윤아는 사회 시간에 마을 지도를 그렸습니다. 윤아네 집에서 학교까지 실제 거리는 0.8 km인데 지도에는 2 cm로 그렸습니다. 윤아네 집에서 학교까지 실제 거리에 대한 지도에서 거리의 비율을 분수로 나타내어 보시오.

( )

3 어느 공장에서 지난달에 생산한 제품의 불량률은 2 %였습니다. 이번 달에는 생산하는 제품의 불량률을 지난달보다 낮추려고 합니다. 이번 달에 제품 1500개를 생산한다면 불량품은 몇 개 미만이어야 하는지 구해 보시오.

( )

✚ 불량률이 ▥ %보다 낮으려면 불량품의 수가 전체 제품 수의 ▥ %보다 적어야 합니다.

4 정사각형과 직사각형의 둘레가 같을 때 정사각형의 넓이와 직사각형의 넓이의 비를 구해 보시오.

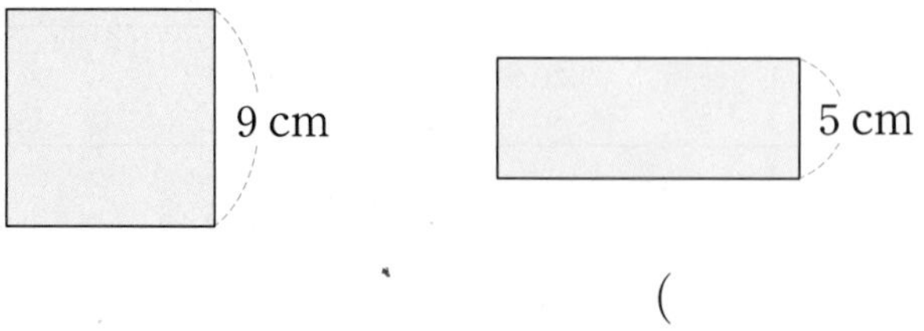

9 cm   5 cm

( )

5 넓이가 $192 \ cm^2$이고 밑변의 길이가 $24 \ cm$인 삼각형이 있습니다. 이 삼각형의 높이에 대한 밑변의 길이의 비율은 몇 %인지 구해 보시오.

(   )

비법 PLUS

6 다음은 어느 채소 가게에서 어제와 오늘 판 오이의 판매 가격입니다. 오늘은 어제보다 오이 한 개의 가격이 몇 % 올랐는지 구해 보시오.

어제	오늘
오이 5개 ⇨ 2500원	오이 6개 ⇨ 3600원

(   )

➕ (인상률)
$= \dfrac{(오늘 \ 가격) - (어제 \ 가격)}{(어제 \ 가격)}$

서술형 문제

7 어느 은행에 30000원을 예금하면 1년 뒤에 31200원을 찾을 수 있습니다. 이 은행에 200000원을 예금한다면 1년 뒤에 찾을 수 있는 돈은 모두 얼마인지 풀이 과정을 쓰고 답을 구해 보시오.

풀이 |

답 |

8 ㉮, ㉯, ㉰ 은행에 예금한 돈과 예금한 기간, 이자를 조사하여 나타낸 표입니다. 준수 어머니는 500만 원을 예금하려고 합니다. 어느 은행에 예금하는 것이 가장 이익인지 구해 보시오. (단, 은행별로 이자율이 다르고 이자는 매달 같은 금액입니다.)

은행	예금한 돈(원)	예금한 기간(개월)	이자(원)
㉮ 은행	100000	2	4000
㉯ 은행	150000	6	9000
㉰ 은행	200000	12	36000

(   )

비법 PLUS

✚ (월 이자율)
$= \dfrac{(1개월\ 이자)}{(예금한\ 돈)}$

서술형 문제

9 어느 가게에서 원가가 3000원인 물건 한 개에 20 %의 이익을 붙여 정가를 정했습니다. 그런데 물건이 팔리지 않아서 정가의 15 %를 할인하여 팔고 있습니다. 할인된 물건 한 개의 가격은 얼마인지 풀이 과정을 쓰고 답을 구해 보시오.

풀이 |

답 |

10 혜진이네 반 학생 중 60 %가 여학생이고, 여학생 중 $\dfrac{1}{3}$이 오늘 치마를 입고 왔습니다. 오늘 치마를 입고 온 여학생이 4명이라면 혜진이네 반 학생은 모두 몇 명인지 구해 보시오.

(   )

✚ 문제를 그림으로 나타내어 봅니다.

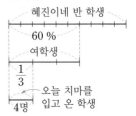

창의융합형 문제

11 자원을 절약하고 환경 보호를 생활화하기 위해 빈 병을 반납하면 보증금을 돌려주는 제도가 있습니다. 빈 병 한 개의 보증금이 2017년부터 다음과 같이 올랐을 때 빈 병 보증금의 인상률이 가장 높은 규격을 찾아 기호를 써 보시오.

규격	보증금	
	2016.12.31. 이전	2017.01.01. 이후
㉠ 190 mL 미만	20원	70원
㉡ 190 mL 이상 400 mL 미만	40원	100원
㉢ 400 mL 이상 1000 mL 미만	50원	130원

( )

창의융합 PLUS

✦ 빈 용기 보증금 제도
사용된 용기의 회수 및 재사용 촉진을 위하여 출고 가격과는 별도의 금액을 제품의 가격에 포함시켜 판매한 뒤 용기를 반납하면 보증금을 돌려주는 제도입니다.

12 용액의 진하기를 비교하는 실험을 하고 있습니다. 진하기가 5 %인 설탕물 200 g에 방울토마토를 넣었더니 물에 떠 있었습니다. 방울토마토를 가라앉게 하기 위해 물 몇 g을 더 넣었더니 진하기가 4 %가 되었습니다. 물 몇 g을 더 넣었는지 구해 보시오.

( )

✦ 설탕물에 방울토마토 띄우기
진한 용액일수록 방울토마토가 더 높이 떠오릅니다.
즉 설탕물에 떠 있는 방울토마토를 더 높이 띄우려면 설탕을 더 많이 넣고, 가라앉게 하려면 물을 더 많이 넣으면 됩니다.

1 세 자연수 ㉮, ㉯, ㉰가 있습니다. ㉮의 ㉯에 대한 비율은 0.6이고, ㉰에 대한 ㉯의 비율은 1.25입니다. ㉮의 ㉰에 대한 비율을 소수로 나타내어 보시오.

(   )

2 오른쪽 삼각형에서 밑변의 길이는 30 % 줄이고, 높이는 10 % 늘여서 새로운 삼각형을 만들었습니다. 새로 만든 삼각형의 넓이는 몇 cm^2인지 구해 보시오.

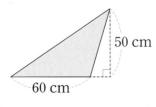

50 cm

60 cm

(   )

3 진하기가 20 %인 설탕물 200 g에 설탕 몇 g을 더 넣었더니 진하기가 50 %가 되었습니다. 설탕 몇 g을 더 넣었는지 구해 보시오.

(   )

4 어느 공장에서는 정상 제품 한 개당 이익은 700원이고 불량품 한 개당 500원의 손해가 발생한다고 합니다. 이 공장에서 하루에 제품 2000개를 생산했을 때 하루 이익금이 1340000원이라면 전체 제품 수에 대한 불량품 수의 비율은 몇 %인지 구해 보시오.

(   )

5 은행에서 이자를 계산하는 방법에는 단리법과 복리법이 있습니다. 단리법은 원금에 대해서만 이자를 계산하는 방법이고, 복리법은 원금에 대한 이자를 원금에 더한 뒤 이 합계액을 새로운 원금으로 계산하는 방법입니다. 두원이가 ㉠ 통장과 ㉡ 통장에 각각 300000원을 예금하려고 합니다. 2년 뒤 ㉠ 통장과 ㉡ 통장에서 찾을 수 있는 돈의 차는 얼마인지 구해 보시오.

㉠ 통장	㉡ 통장
단리로 연 2 %의 이자를 줍니다.	복리로 연 2 %의 이자를 줍니다.

(   )

6 사다리꼴 ㄱㄴㄷㄹ의 넓이는 336 cm²입니다. 이 사다리꼴을 선분 ㄱㅁ으로 나누면 ㉮와 ㉯의 넓이의 비는 3 : 5가 됩니다. 선분 ㄴㅁ의 길이는 몇 cm인지 구해 보시오.

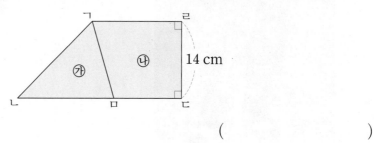

(   )

그림을 감상해 보세요.

에두아르 마네, 「피리부는 소년」, 1866년

5

여러 가지 그래프

핵심 개념과 문제

1 그림그래프

목장별 우유 생산량

목장	생산량(t)
가	2100
나	1600
다	3000
라	900

⇨

목장별 우유 생산량

목장	생산량
가	
나	
다	
라	

🍶 1000 t   🍶 100 t

개념 PLUS ➕

그림그래프로 나타내기
① 그림을 몇 가지로 나타낼 것인지 정하기
② 어떤 그림으로 나타낼 것인지 정하기
③ 그림으로 나타낼 단위는 어떻게 할 것인지 정하기

2 띠그래프

◉ 띠그래프: 전체에 대한 각 부분의 비율을 띠 모양에 나타낸 그래프

혈액형별 학생 수

0 10 20 30 40 50 60 70 80 90 100(%)

| A형 (36 %) | O형 (27 %) | B형 (25 %) | AB형 (12 %) |

• A형인 학생 수가 가장 많습니다. → 띠그래프에서 띠의 길이가 길수록 비율이 높습니다.
• A형인 학생 수는 AB형인 학생 수의 $36 \div 12 = 3$(배)입니다.

◉ **띠그래프로 나타내기**

① 자료를 보고 각 항목의 백분율을 구합니다.
② 각 항목의 백분율의 합계가 100 %가 되는지 확인합니다.
③ 각 항목이 차지하는 백분율의 크기만큼 선을 그어 띠를 나눕니다.
④ 나눈 부분에 각 항목의 내용과 백분율을 씁니다.
⑤ 띠그래프의 제목을 씁니다.

개념 PLUS ➕

기타는 다른 것에 비해 자료의 수가 너무 적어서 따로 표현하기 힘들 때 사용합니다.

수학여행으로 가고 싶은 장소별 학생 수

장소	제주	경상도	강원도	기타	합계
학생 수(명)	80	50	40	30	200
백분율(%)	40	25	20	15	100 →•②

①

수학여행으로 가고 싶은 장소별 학생 수 →•⑤

0 10 20 30 40 50 60 70 80 90 100(%)

| 제주 (40 %) | 경상도 (25 %) | 강원도 (20 %) | 기타 (15 %) |

④   ③

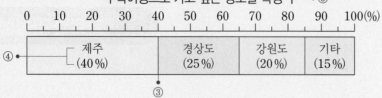

[1~3] 은주네 학교 학생들이 등교할 때 이용하는 교통수단을 조사하여 나타낸 표입니다. 물음에 답하시오.

이용하는 교통수단별 학생 수

교통수단	도보	자전거	버스	기타	합계
학생 수 (명)	270	150	120	60	600
백분율 (%)					

1 위의 표를 완성한 다음 띠그래프로 나타내어 보시오.

이용하는 교통수단별 학생 수

0 10 20 30 40 50 60 70 80 90 100(%)

2 가장 많은 학생이 이용하는 교통수단은 전체의 몇 %입니까?

(   )

3 등교할 때 자전거 또는 버스를 이용하는 학생은 전체의 몇 %입니까?

(   )

[4~5] 서울 일부 지역의 구별 등록외국인 수를 조사하여 나타낸 그림그래프입니다. 물음에 답하시오.

구별 등록외국인 수

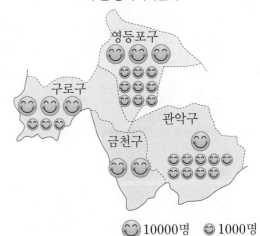

😊10000명   🙂1000명

(출처: 등록외국인 현황, 국가 통계 포털, 2015.)

4 등록외국인 수가 가장 많은 구와 가장 적은 구의 차는 몇 명입니까?

(   )

5 영등포구, 구로구, 금천구, 관악구의 등록외국인 수의 평균은 몇 명입니까?

(   )

6 경민이네 반 학생들이 좋아하는 간식을 조사하여 나타낸 띠그래프입니다. 순대를 좋아하는 학생이 4명일 때 떡볶이를 좋아하는 학생은 몇 명입니까?

좋아하는 간식별 학생 수

0 10 20 30 40 50 60 70 80 90 100(%)

떡볶이 (48 %)	튀김 (24 %)	순대 (16 %)	기타 (12 %)

(   )

❸ 원그래프

◗ **원그래프**: 전체에 대한 각 부분의 비율을 원 모양에 나타낸 그래프

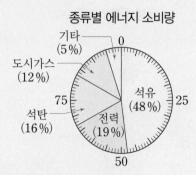

종류별 에너지 소비량

- 석유로 소비되는 에너지가 가장 많습니다. → 원그래프에서 차지하는 부분이 넓을수록 비율이 높습니다.
- 석탄 또는 도시가스로 소비되는 에너지는 전체의 $16+12=28(\%)$ 입니다.

◗ **원그래프로 나타내기**

① 자료를 보고 각 항목의 백분율을 구합니다.
② 각 항목의 백분율의 합계가 100 %가 되는지 확인합니다.
③ 각 항목이 차지하는 백분율의 크기만큼 선을 그어 원을 나눕니다.
④ 나눈 부분에 각 항목의 내용과 백분율을 씁니다.
⑤ 원그래프의 제목을 씁니다.

좋아하는 과일별 학생 수

과일	학생 수(명)	백분율(%)
귤	24	40
사과	18	30
배	15	25
기타	3	5
합계	60	100 → ②

①

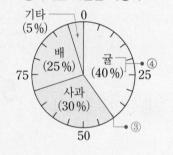

좋아하는 과일별 학생 수 → ⑤

❹ 여러 가지 그래프 비교하기

그래프	특징	자료
막대그래프	수량의 많고 적음을 한눈에 비교하기 쉽습니다.	예 학용품별 개수
꺾은선그래프	수량의 변화하는 모습과 정도를 쉽게 알 수 있습니다.	예 월별 강수량의 변화
그림그래프	상징적인 그림 사용, 그림의 크기, 위치 등으로 복잡한 자료를 간단하게 보여 줍니다.	예 권역별 학생 수
띠그래프, 원그래프	전체에 대한 각 부분의 비율을 쉽게 알 수 있습니다.	예 혈액형별 학생 수

개념 PLUS ➕

띠그래프와 원그래프의 공통점과 차이점
- 공통점: 전체를 100 %로 하여 전체에 대한 각 부분의 비율을 알기 편합니다.
- 차이점: 띠그래프는 가로를 100등분하여 띠 모양으로 그린 것이고, 원그래프는 원의 중심을 100등분하여 원 모양으로 그린 것입니다.

중1 연계

히스토그램: 가로에는 자료에서 변하는 양을 일정한 간격으로 나눈 구간을, 세로에는 구간에 속하는 자료의 수를 표시하여 직사각형 모양으로 나타낸 그래프

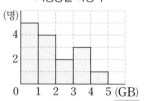

스마트폰 데이터 사용량별 학생 수

'기가바이트'라고 읽습니다. •

[1~3] 운동장에 모인 학생들이 좋아하는 운동을 조사하여 나타낸 표입니다. 물음에 답하시오.

좋아하는 운동별 학생 수

운동	야구	축구	농구	기타	합계
학생 수(명)	24	15	12	9	60
백분율(%)					

1 위의 표를 완성한 다음 원그래프로 나타내어 보시오.

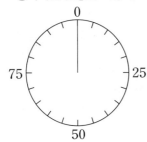

좋아하는 운동별 학생 수

2 가장 많은 학생이 좋아하는 운동은 전체의 몇 %입니까?

(   )

3 야구를 좋아하는 학생 수는 농구를 좋아하는 학생 수의 몇 배입니까?

(   )

[4~6] 윤서네 학교 학생들이 여행 가고 싶은 나라를 조사하여 나타낸 표입니다. 물음에 답하시오.

여행 가고 싶은 나라별 학생 수

나라	미국	영국	일본	중국	기타	합계
학생 수(명)	90	75	60	45	30	300

4 표를 보고 막대그래프로 나타내어 보시오.

5 표를 보고 띠그래프로 나타내어 보시오.

여행 가고 싶은 나라별 학생 수

6 표를 보고 원그래프로 나타내어 보시오.

여행 가고 싶은 나라별 학생 수

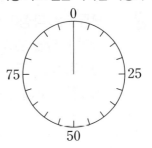

상위권 문제

대표유형 01

띠그래프로 나타낼 때 항목이 차지하는 길이 구하기

현우네 학교 학생들이 기르는 동물을 조사하여 나타낸 표입니다. 조사한 내용을 길이가 50 cm인 띠그래프로 나타낼 때 토끼가 차지하는 길이는 몇 cm인지 구해 보시오.

기르는 동물별 학생 수

동물	강아지	고양이	햄스터	토끼	기타	합계
학생 수(명)	90	60	40	35	25	250

(1) 토끼를 기르는 학생은 전체의 몇 %입니까?

(   )

(2) 길이가 50 cm인 띠그래프로 나타낼 때 토끼가 차지하는 길이는 몇 cm입니까?

(   )

> **비법 PLUS**
>
> (띠그래프에서 항목이 차지하는 길이)
> ＝(띠그래프 전체의 길이)
> ×(항목의 비율)

유제 1

어느 마을의 가로수를 조사하여 나타낸 표입니다. 조사한 내용을 길이가 25 cm인 띠그래프로 나타낼 때 은행나무가 차지하는 길이는 몇 cm인지 구해 보시오.

종류별 가로수의 수

종류	은행나무	소나무	벚나무	버드나무	기타	합계
나무 수(그루)	576	240	144	144	96	1200

(   )

유제 2

오른쪽은 다정이네 학교 학생들이 좋아하는 과목을 조사하여 나타낸 원그래프입니다. 원그래프를 길이가 30 cm인 띠그래프로 나타낼 때 수학이 차지하는 길이는 몇 cm인지 구해 보시오.

(   )

좋아하는 과목별 학생 수

대표유형 02

한 항목의 수를 알 때 나머지 항목이 나타내는 수 구하기

어느 도시에서 하루 동안 발생한 쓰레기의 양을 조사하여 나타낸 띠그래프입니다. 종이류 쓰레기가 528 t일 때 종이류 쓰레기가 아닌 쓰레기는 몇 t인지 구해 보시오.

종류별 쓰레기 발생량

| 0 10 20 30 40 50 60 70 80 90 100(%) |

음식물 (35 %)	종이류 (20 %)	금속류 (19 %)	나무류 (14 %)	기타 (12 %)

(1) 종이류 쓰레기가 아닌 쓰레기의 비율은 종이류 쓰레기 비율의 몇 배입니까?

( )

(2) 종이류 쓰레기가 아닌 쓰레기는 몇 t입니까?

( )

비법 PLUS

비율	항목의 수
■ %	⇨ ● t
(■ × 2) %	⇨ (● × 2) t
$\left(■ × \dfrac{1}{2}\right)$ %	⇨ $\left(● × \dfrac{1}{2}\right)$ t

유제 3

오른쪽은 화단에 심은 꽃을 조사하여 나타낸 원그래프입니다. 화단에 심은 과꽃이 1800송이일 때 과꽃이 아닌 꽃은 몇 송이인지 구해 보시오.

( )

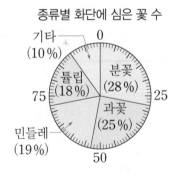

종류별 화단에 심은 꽃 수

유제 4

서술형 문제

오른쪽은 어느 수학 문제집에 있는 연산 문제를 유형별로 조사하여 나타낸 원그래프입니다. 뺄셈 문제가 200문제일 때 뺄셈 문제가 아닌 문제는 몇 문제인지 풀이 과정을 쓰고 답을 구해 보시오.

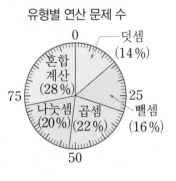

유형별 연산 문제 수

풀이 |

답 |

대표유형 03

모르는 자료의 값을 구하여 그림그래프 완성하기

농장별 소의 수를 조사하여 나타낸 그림그래프입니다. 네 농장의 소는 평균 53마리이고, 라 농장의 소가 다 농장의 소보다 19마리 더 많을 때 그림그래프를 완성해 보시오.

농장별 소의 수

농장	소의 수
가	🐄🐄🐄🐄🐄 🐂🐂
나	🐄🐄🐄🐄🐄 🐂🐂🐂🐂🐂🐂
다	
라	

🐄 10마리
🐂 1마리

(1) 네 농장의 소는 모두 몇 마리입니까?

(   )

(2) 다 농장과 라 농장의 소는 모두 몇 마리입니까?

(   )

(3) 다 농장과 라 농장의 소는 각각 몇 마리입니까?

(,   )

(4) 그림그래프를 완성해 보시오.

비법 PLUS

다 농장의 소의 수: ■마리
⇨ 라 농장의 소의 수:
(■+19)마리

유제 5

마을별 학생 수를 조사하여 나타낸 그림그래프입니다. 네 마을의 학생은 평균 300명이고, 나 마을의 학생이 다 마을의 학생보다 110명 더 적을 때 그림그래프를 완성해 보시오.

마을별 학생 수

마을	학생 수
가	😊😊👦👦👦👦👦👦👦
나	
다	
라	😊😊😊👦👦👦👦👦👦

😊 100명
👦 10명

대표유형 04

두 그래프 비교하기

민정이네 학교와 소희네 학교의 학년별 학생 수를 조사하여 나타낸 띠그래프입니다. 민정이네 학교의 학생은 600명이고, 소희네 학교의 학생은 400명입니다. 6학년 학생은 누구네 학교가 몇 명 더 많은지 구해 보시오.

민정이네 학교의 학년별 학생 수

0 10 20 30 40 50 60 70 80 90 100(%)

1학년 (21 %)	2학년 (20 %)	3학년 (16 %)	4학년 (15 %)	5학년 (15 %)	6학년 (13 %)

소희네 학교의 학년별 학생 수

0 10 20 30 40 50 60 70 80 90 100(%)

1학년 (14 %)	2학년 (15 %)	3학년 (15 %)	4학년 (17 %)	5학년 (20 %)	6학년 (19 %)

(1) 민정이네 학교의 6학년 학생은 몇 명입니까?

(   )

(2) 소희네 학교의 6학년 학생은 몇 명입니까?

(   )

(3) 6학년 학생은 누구네 학교가 몇 명 더 많습니까?

(,   )

비법 PLUS

(항목의 수)
=(전체의 수)
　×(항목의 비율)

유제 6

서술형 문제

수정이네 마을과 진영이네 마을에서 기르는 가축 수를 조사하여 나타낸 원그래프입니다. 수정이네 마을에서 기르는 가축은 800마리이고, 진영이네 마을에서 기르는 가축은 700마리입니다. 말은 누구네 마을이 몇 마리 더 많이 기르는지 풀이 과정을 쓰고 답을 구해 보시오.

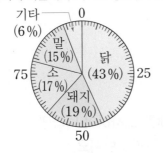

수정이네 마을에서 기르는 종류별 가축 수

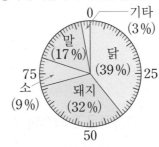

진영이네 마을에서 기르는 종류별 가축 수

풀이 |

답 | ,

대표유형 05

비율 대신 각도가 주어진 원그래프 알아보기

오른쪽은 준재네 학교 학생 500명이 좋아하는 음료수를 조사하여 나타낸 원그래프입니다. 이온 음료를 좋아하는 학생은 몇 명인지 구해 보시오.

좋아하는 음료수별 학생 수

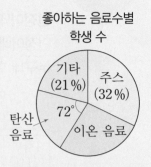

(1) 탄산음료를 좋아하는 학생은 전체의 몇 %입니까?

(   )

(2) 이온 음료를 좋아하는 학생은 전체의 몇 %입니까?

(   )

(3) 이온 음료를 좋아하는 학생은 몇 명입니까?

(   )

비법 PLUS

(각도가 ■°인 항목의 백분율)

$=\left(\dfrac{■°}{360°}\times100\right)\%$

유제 7

오른쪽은 어느 전자 회사에서 한 달 동안 판매한 전자 제품 4000대를 조사하여 나타낸 원그래프입니다. 판매한 텔레비전은 몇 대인지 구해 보시오.

전자 제품별 판매량

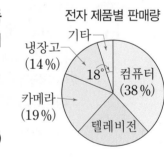

(   )

유제 8

오른쪽은 편의점에 있는 우유 200개를 조사하여 나타낸 원그래프입니다. 딸기 우유는 몇 개인지 구해 보시오.

종류별 우유 수

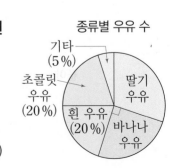

(   )

신유형
06

시간표를 원그래프로 나타내기

상우는 일요일에 도서관에 갔습니다. 상우가 도서관에 있던 3시간 동안의 활동을 조사하여 나타낸 시간표입니다. 시간표를 보고 원그래프로 나타내어 보시오.

시간표

시간	활동
14:00~15:03	수학 공부
15:03~15:48	영어 공부
15:48~15:57	휴식
15:57~16:33	국어 공부
16:33~17:00	과학 공부

활동별 시간

(1) 표를 완성해 보시오.

활동별 시간

활동	수학 공부	영어 공부	휴식	국어 공부	과학 공부
시간(분)					
백분율(%)					

신유형 PLUS

먼저 시간표를 보고 활동별 시간과 백분율을 구합니다.

(2) 상우의 활동별 시간을 원그래프로 나타내어 보시오.

유제
9

민준이의 방과 후 2시간 40분 동안의 활동을 조사하여 나타낸 시간표입니다. 시간표를 보고 원그래프로 나타내어 보시오.

시간표

시간	활동
14:30~15:18	공부
15:18~15:58	운동
15:58~16:22	방 청소
16:22~16:54	독서
16:54~17:10	저녁 식사

활동별 시간

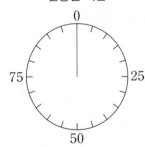

비법 PLUS

[1~2] 우리나라 권역별 인구수를 조사하여 나타낸 표입니다. 물음에 답하시오.

권역별 인구수

권역	인구수(만 명)	권역	인구수(만 명)
서울·인천·경기	2527	강원	152
대전·세종·충청	544	대구·부산·울산·경상	1310
광주·전라	514	제주	61

(출처: 연령 및 성별 인구, 국가 통계 포털, 2015.)

1 위의 표를 보고 인구수를 반올림하여 백만의 자리까지 나타낸 그림그래프로 나타내어 보시오.

권역별 인구수

👤1000만 명
👤100만 명

➕ 인구수를 반올림하여 백만의 자리까지 나타내려면 십만의 자리에서 반올림합니다.

2 위 1의 그림그래프에서 서울·인천·경기 권역의 인구수는 대전·세종·충청 권역과 광주·전라 권역의 인구수의 합의 몇 배인지 구해 보시오.

(   )

서술형 문제

3 1995년부터 2015년까지 10년 간격으로 우리나라의 연령별 인구 구성비의 변화를 조사하여 나타낸 띠그래프입니다. 띠그래프를 보고 인구 구성비의 변화에 따라 발생하는 문제점을 써 보시오.

연령별 인구 구성비의 변화

	14세 이하	15~64세	65세 이상
1995년	23.0%	71.1%	5.9%
2005년	19.1%	71.6%	9.3%
2015년	13.9%	72.9%	13.2%

(출처: 연령 및 성별 인구, 국가 통계 포털, 2015.)

답|

➕ 여러 개의 띠그래프를 사용하면 비율이 변화하는 상황을 한눈에 쉽게 알 수 있습니다.

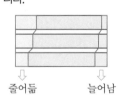

⬇   ⬇
줄어듦   늘어남

4 오른쪽은 은아가 한 달에 쓴 용돈의 쓰임새를 조사하여 나타낸 원그래프입니다. 원그래프를 길이가 20 cm인 띠그래프로 나타낼 때 군것질이 차지하는 길이는 몇 cm인지 구해 보시오.

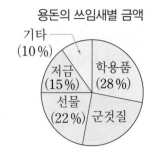
용돈의 쓰임새별 금액

기타 (10 %)
저금 (15 %)
선물 (22 %)
학용품 (28 %)
군것질

(   )

비법 PLUS

5 어느 아파트의 동별 승용차 수를 조사하여 나타낸 그림그래프입니다. 네 동의 승용차는 평균 210대이고, 다 동의 승용차 수가 나 동의 승용차 수의 2배일 때 그림그래프를 완성해 보시오.

동별 승용차 수

동	승용차 수
가	🚗 🚗🚗🚗🚗🚗🚗🚗🚗
나	
다	
라	🚗 🚗 🚗🚗🚗🚗🚗

🚗100대
🚗10대

➕ (나 동의 승용차 수)=■대
  ⇨ (다 동의 승용차 수)
    =(■×2)대

6 서희네 학교 6학년 학생 80명이 태어난 계절을 조사하여 나타낸 띠그래프입니다. 봄에 태어난 학생은 여름에 태어난 학생의 $\frac{3}{7}$이고, 겨울에 태어난 학생은 봄에 태어난 학생의 2배일 때 가을에 태어난 학생은 몇 명인지 구해 보시오.

태어난 계절별 학생 수

봄	여름 (35 %)	가을	겨울

(   )

➕ 먼저 여름에 태어난 학생의 비율을 이용하여 봄에 태어난 학생의 비율과 겨울에 태어난 학생의 비율을 구합니다.

7 오른쪽은 수목원에 있는 나무 500그루를 조사하여 나타낸 원그래프입니다. 기타의 20 %가 밤나무라면 밤나무는 몇 그루인지 구해 보시오.

수목원의 종류별 나무 수

기타
소나무 (32 %)
54°
은행나무 (23 %)
벚나무

(   )

8 수학 문제집에 있는 문제는 250문제이고 그중 서술형 문제는 20 %입니다. 선우가 이 문제집을 모두 풀었더니 도형 영역의 서술형 문제를 9문제 맞혔습니다. 서술형 문제를 영역별로 조사하여 나타낸 띠그래프가 다음과 같을 때 선우가 도형 영역에서 틀린 서술형 문제는 몇 문제인지 구해 보시오.

비법 PLUS

영역별 서술형 문제 수

수와 연산 (36 %)	도형	측정 (18 %)	규칙성 (16 %)	자료와 가능성 (4문제)

(   )

서술형 문제

9 선영이네 마을과 기문이네 마을의 곡물 생산량을 조사하여 나타낸 원그래프입니다. 선영이네 마을의 곡물 생산량은 200 t이고, 기문이네 마을의 곡물 생산량은 300 t입니다. 두 마을의 콩 생산량은 두 마을의 곡물 생산량 전체의 몇 %인지 풀이 과정을 쓰고 답을 구해 보시오.

두 마을의 곡물 생산량의 합이 전체가 됩니다.

선영이네 마을의 곡물별 생산량

기문이네 마을의 곡물별 생산량

풀이 |

답 |

10 오른쪽은 도서관에 있는 책 1200권을 조사하여 나타낸 원그래프입니다. 동화책 또는 위인전은 전체의 69 %이고, 동화책이 위인전보다 60권 더 많습니다. 위인전은 소설책보다 몇 권 더 많은지 구해 보시오.

종류별 책 수

먼저 동화책 또는 위인전 수를 구합니다.

(   )

창의융합형 문제

11 감의 껍질을 벗겨 말린 곶감은 쫄깃한 식감과 달콤한 맛이 특징입니다. 감과 곶감의 성분을 나타낸 원그래프를 보고 곶감의 탄수화물은 감의 탄수화물의 약 몇 배인지 구해 보시오.

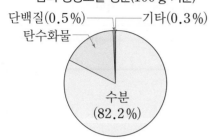

감의 영양소별 성분(100 g 기준)
단백질(0.5%) ── 기타(0.3%)
탄수화물
수분
(82.2%)

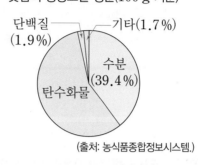

곶감의 영양소별 성분(100 g 기준)
단백질
(1.9%) ── 기타(1.7%)
수분
(39.4%)
탄수화물

(출처: 농식품종합정보시스템.)

(   )

12 우리나라 성씨별 사람 수를 조사하여 나타낸 원그래프와 김씨 성을 가진 사람들의 본관별 사람 수를 조사하여 나타낸 띠그래프입니다. 우리나라에 김해 김씨는 광산 김씨보다 약 몇만 명이 더 많은지 구해 보시오. (단, 우리나라의 성씨를 가진 내국인은 약 5000만 명입니다.)

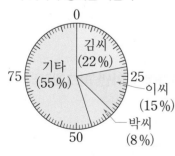

우리나라 성씨별 사람 수
0
김씨
(22%)
기타
(55%)
75
25
이씨
(15%)
박씨
(8%)
50

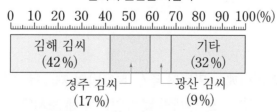

김씨의 본관별 사람 수
0 10 20 30 40 50 60 70 80 90 100(%)

| 김해 김씨 (42%) | | 기타 (32%) |

경주 김씨 (17%)   광산 김씨 (9%)

(출처: 성씨·본관별 인구, 국가 통계 포털, 2015.)

(   )

▲ 김해 수로왕릉

1 혜교가 4시간 동안 공부한 과목을 조사하여 길이가 50 cm인 띠그래프로 나타내었습니다. 국어를 공부한 시간은 몇 분인지 구해 보시오.

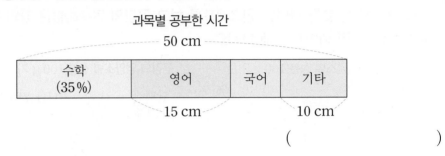

과목별 공부한 시간

(   )

2 참외의 성분을 나타낸 원그래프입니다. 참외 1개의 무게는 400 g이고, 기타의 25 %가 칼륨입니다. 이 참외만으로 칼륨의 1일 충분섭취량을 충족하려면 참외는 적어도 몇 개를 먹어야 하는지 구해 보시오. (단, 칼륨의 1일 충분섭취량은 5 g입니다.)

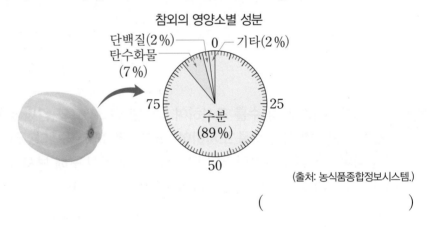

참외의 영양소별 성분

(출처: 농식품종합정보시스템.)

(   )

3 서윤이의 어머니께서 만들어 주신 볶음밥의 재료를 조사하여 나타낸 띠그래프입니다. 햄은 밥을 제외한 재료 전체의 몇 %인지 구해 보시오.

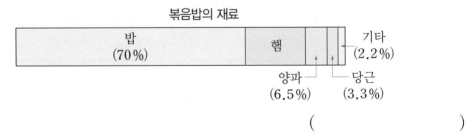

볶음밥의 재료

(   )

4 어느 수학 경시대회에 참가한 학생 수를 조사하여 나타낸 표입니다. 표를 보고 가로가 18 cm, 세로가 5 cm인 띠그래프와 가로가 10 cm, 세로가 7 cm인 띠그래프로 각각 나타낼 때 6학년이 차지하는 넓이의 차는 몇 cm^2인지 구해 보시오. (단, 두 띠그래프는 모두 직사각형 모양입니다.)

수학 경시대회에 참가한 학년별 학생 수

학년	3학년	4학년	5학년	6학년	합계
학생 수(명)	42	126	105	147	420

(   )

5 어느 마을에서 피아노, 미술, 태권도 학원에 다니는 학생 600명의 남녀 학생의 비율을 조사하여 나타낸 원그래프와 세 종류의 학원에 다니는 학생을 남학생과 여학생으로 나누어 조사하여 나타낸 띠그래프입니다. 이 마을에서 가장 많은 학생이 다니는 학원은 어느 학원인지 구해 보시오. (단, 학생들은 학원을 한 곳씩만 다닙니다.)

남녀 학생 수

다니는 학원별 남학생 수

피아노 (25 %)	미술 (35 %)	태권도 (40 %)

다니는 학원별 여학생 수

피아노 (45 %)	미술 (25 %)	태권도 (30 %)

(   )

6 어느 대형 마트에서 오늘 하루에 판매한 공의 수를 조사하여 나타낸 원그래프와 종류별 공 한 개의 가격을 나타낸 표입니다. 오늘 대형 마트에서 공을 팔아서 번 돈은 모두 얼마인지 구해 보시오.

종류별 판매한 공의 수

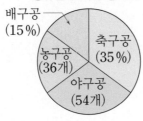

종류별 공의 가격

종류	가격(원)	종류	가격(원)
축구공	8000	농구공	9000
야구공	1500	배구공	6000

(   )

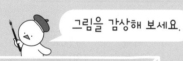
그림을 감상해 보세요.

신윤복, 「미인도」, 18세기

6

직육면체의 부피와 겉넓이

① 직육면체의 부피 비교

- 가로, 세로, 높이 중에서 두 종류 이상의 길이가 같으면 직접 면끼리 대어 비교할 수 있습니다.
- 상자 속을 모양과 크기가 같은 물건으로 채운 후 물건의 수를 세어 비교할 수 있습니다.
- 쌓기나무로 상자와 같은 크기의 직육면체 모양으로 쌓은 후 쌓기나무의 수를 세어 비교할 수 있습니다.

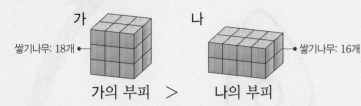

쌓기나무: 18개   쌓기나무: 16개

가의 부피 > 나의 부피

개념 PLUS ➕
- 밑면의 모양이 다르거나 높이가 각각 다르면 직접 면끼리 대어 부피를 비교하기 어렵습니다.
- 상자를 채운 물건의 모양과 크기가 다르거나 물건을 채운 상자에 빈틈이 생기면 부피를 비교할 수 없습니다.

② 1 cm^3

1 cm^3(1 세제곱센티미터): 한 모서리의 길이가 1 cm 인 정육면체의 부피

1 cm
1 cm
1 cm

개념 PLUS ➕

한 개의 부피가 1 cm^3인 쌓기나무 ▲개로 만든 입체도형의 부피는 ▲ cm^3입니다.

③ 직육면체의 부피

◗ 직육면체의 부피

$$(\text{직육면체의 부피}) = (\text{가로}) \times (\text{세로}) \times (\text{높이})$$
$$= (\text{밑면의 넓이}) \times (\text{높이})$$

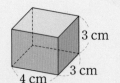

3 cm
3 cm
4 cm

$$(\text{직육면체의 부피})$$
$$= 4 \times 3 \times 3 = 36(\text{cm}^3)$$

중1 연계 🔄

▎원기둥의 부피

반지름

높이

$$(\text{원기둥의 부피})$$
$$= (\text{밑면의 넓이}) \times (\text{높이})$$

◗ 정육면체의 부피

$$(\text{정육면체의 부피}) = (\text{한 모서리의 길이}) \times (\text{한 모서리의 길이})$$
$$\times (\text{한 모서리의 길이})$$

3 cm
3 cm
3 cm

$$(\text{정육면체의 부피})$$
$$= 3 \times 3 \times 3 = 27(\text{cm}^3)$$

개념 PLUS ➕

▎직육면체의 모서리의 길이와 부피의 관계

가로, 세로, 높이가 각각 2배가 되면 직육면체의 부피는
$2 \times 2 \times 2 = 8$(배)가 됩니다.

 ⇨

부피: 1 cm^3 부피: 8 cm^3

1 직육면체의 부피는 몇 cm³입니까?

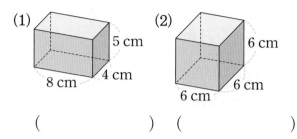

(1)   5 cm
8 cm   4 cm

(2)   6 cm
6 cm   6 cm

(   )   (   )

2 직접 맞대어 부피를 비교할 수 있는 상자끼리 짝 지어 보고 그 이유를 써 보시오.

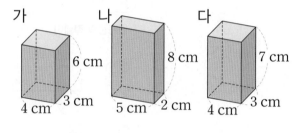

가   나   다
6 cm   8 cm   7 cm
4 cm 3 cm   5 cm 2 cm   4 cm 3 cm

답 |

3 직육면체 모양의 상자에 크기가 같은 쌓기나무를 담아 부피를 비교하려고 합니다. 가, 나, 다 중 부피가 가장 큰 상자는 어느 것입니까?

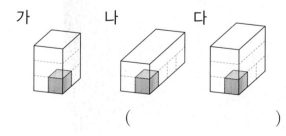

가   나   다

(   )

4 직육면체 가와 나 중에서 부피가 더 큰 것을 찾아보시오.

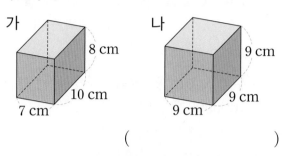

가   나
8 cm   9 cm
7 cm   10 cm   9 cm   9 cm

(   )

5 한 모서리의 길이가 2 cm인 정육면체의 각 모서리의 길이를 3배로 늘인 정육면체의 부피는 처음 정육면체의 부피의 몇 배가 됩니까?

(   )

6 직육면체의 부피는 240 cm³입니다. ☐ 안에 알맞은 수를 써넣으시오.

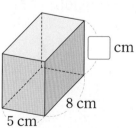

☐ cm
5 cm   8 cm

4 **1 m³**

• **1 m³(1 세제곱미터)**: 한 모서리의 길이가 1 m인 정육면체의 부피

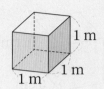

• 부피가 1 m³인 정육면체를 쌓는 데 부피가 1 cm³인 쌓기나무가 1000000개 필요합니다.

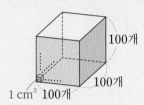

$$1 \text{ m}^3 = 1000000 \text{ cm}^3$$

5 **직육면체의 겉넓이**

◉ **직육면체의 겉넓이**

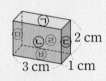 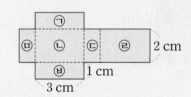

방법 1 (여섯 면의 넓이의 합)
$$= ㉠ + ㉡ + ㉢ + ㉣ + ㉤ + ㉥$$
$$= 3 \times 1 + 3 \times 2 + 1 \times 2 + 3 \times 2 + 1 \times 2 + 3 \times 1 = 22 (\text{cm}^2)$$

방법 2 (한 꼭짓점에서 만나는 세 면의 넓이의 합)×2
$$= (㉠ + ㉡ + ㉢) \times 2 = (3 \times 1 + 3 \times 2 + 1 \times 2) \times 2 = 22 (\text{cm}^2)$$

방법 3 (한 밑면의 넓이)×2+(옆면의 넓이)
$$= ㉠ \times 2 + (㉤ + ㉡ + ㉢ + ㉣)$$
$$= 3 \times 1 \times 2 + (1 + 3 + 1 + 3) \times 2 = 22 (\text{cm}^2)$$

◉ **정육면체의 겉넓이**

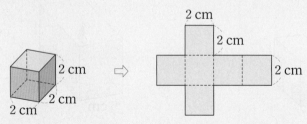

방법 1 (여섯 면의 넓이의 합)
$$= 2 \times 2 + 2 \times 2 + 2 \times 2 + 2 \times 2 + 2 \times 2 + 2 \times 2 = 24 (\text{cm}^2)$$

방법 2 (한 면의 넓이)×6 = 2 × 2 × 6 = 24 (\text{cm}^2)

중1 연계

▮ **원기둥의 겉넓이**

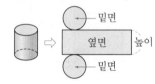

(원기둥의 겉넓이)
= (한 밑면의 넓이)×2
+ (옆면의 넓이)

1 직육면체의 겉넓이는 몇 cm²입니까?

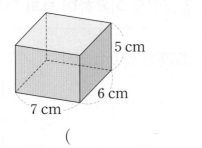

( )

2 전개도를 이용하여 만들 수 있는 정육면체의 겉넓이는 몇 cm²입니까?

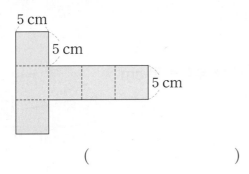

( )

3 부피가 큰 것부터 차례대로 기호를 써 보시오.

> ㉠ 0.8 m³   ㉡ 6000000 cm³
> ㉢ 7.5 m³   ㉣ 500000 cm³

( )

4 인아와 현태는 직육면체 모양의 상자를 만들었습니다. 두 상자의 겉넓이의 차는 몇 cm²입니까?

인아   현태

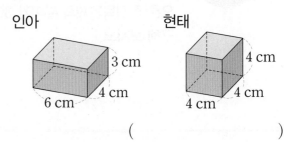

( )

5 부피가 343000000 cm³인 정육면체의 한 모서리의 길이는 몇 m입니까?

( )

6 직육면체의 겉넓이는 232 cm²입니다. ☐ 안에 알맞은 수를 써넣으시오.

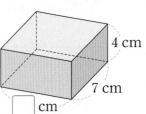

상위권 문제

대표유형
01

직육면체의 부피를 이용하여 겉넓이, 겉넓이를 이용하여 부피 구하기

오른쪽 직육면체의 부피가 360 cm³일 때 겉넓이는 몇 cm²인지
구해 보시오.

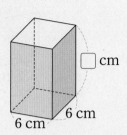

▢ cm

6 cm   6 cm

(1) ▢ 안에 알맞은 수를 구해 보시오.

(   )

(2) 직육면체의 겉넓이는 몇 cm²입니까?

(   )

비법 PLUS

직육면체의 가로, 세로,
높이 중 길이를 모르는
모서리의 길이를 먼저 구
합니다.

유제 1

오른쪽 직육면체의 겉넓이가 376 cm²일 때 부피는 몇 cm³
인지 구해 보시오.

(   )

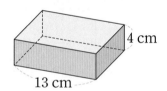

4 cm

13 cm

유제 2

서술형 문제

부피가 350 cm³이고 밑면의 모양이 정사각형인 직육면체가 있습니다. 이 직육면체의
높이가 14 cm일 때 겉넓이는 몇 cm²인지 풀이 과정을 쓰고 답을 구해 보시오.

풀이 |

_____

_____

답 | _____

빠른 정답 7쪽 ——— 정답과 풀이 36쪽

대표유형 02

위, 앞, 옆에서 본 모양을 보고 직육면체의 겉넓이 구하기

직육면체를 위, 앞, 옆에서 본 모양입니다. 직육면체의 겉넓이는 몇 cm^2인지 구해 보시오.

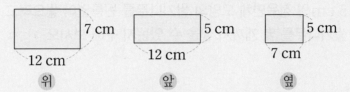

(1) 위, 앞, 옆에서 본 모양을 이용하여 직육면체의 겨냥도를 그렸습니다. ☐ 안에 알맞은 수를 써넣으시오.

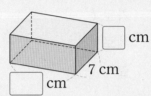

(2) 직육면체의 겉넓이는 몇 cm^2입니까?

(　　　　　)

비법 PLUS

위, 앞, 옆에서 본 모양을 이용하여 직육면체의 겨냥도를 그려 봅니다.

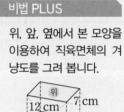

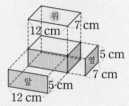

유제 3

직육면체를 위, 앞, 옆에서 본 모양입니다. 직육면체의 겉넓이는 몇 cm^2인지 구해 보시오.

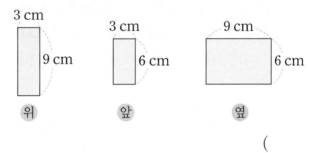

(　　　　　)

유제 4

직육면체를 위와 앞에서 본 모양입니다. 직육면체의 겉넓이는 몇 cm^2인지 구해 보시오.

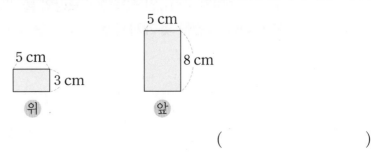

(　　　　　)

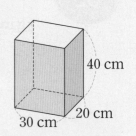

대표유형 03

빈틈없이 쌓을 수 있는 물건의 수 구하기

오른쪽과 같은 직육면체 모양의 상자에 한 모서리의 길이가 5 cm인 정육면체 모양의 쌓기나무를 빈틈없이 쌓으려고 합니다. 쌓기나무를 몇 개까지 쌓을 수 있는지 구해 보시오.

(1) 상자의 가로, 세로, 높이에 놓을 수 있는 쌓기나무는 각각 몇 개입니까?

가로 (   )

세로 (   )

높이 (   )

(2) 쌓기나무를 몇 개까지 쌓을 수 있습니까?

(   )

비법 PLUS

➕ 상자에 빈틈없이 쌓을 수 있는 쌓기나무의 수

(가로)=(■÷㉠)개
(세로)=(▲÷㉠)개
(높이)=(●÷㉠)개

 유제 5

오른쪽과 같은 직육면체 모양의 상자에 한 모서리의 길이가 30 cm인 정육면체 모양의 물건을 빈틈없이 쌓으려고 합니다. 물건을 몇 개까지 쌓을 수 있는지 구해 보시오.

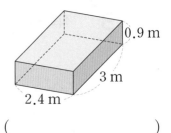

(   )

 유제 6

오른쪽과 같은 직육면체 모양의 상자에 가로가 5 cm, 세로가 3 cm, 높이가 4 cm인 직육면체 모양의 물건을 빈틈없이 쌓으려고 합니다. 물건을 몇 개까지 쌓을 수 있는지 구해 보시오.

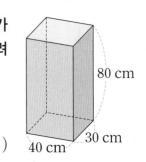

(   )

대표유형 04

복잡한 입체도형의 부피 구하기

오른쪽 입체도형은 직육면체 2개를 붙여서 만든 것입니다. 입체도형의 부피는 몇 cm^3인지 구해 보시오.

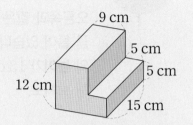

(1) 직육면체 ㉠과 ㉡의 부피는 각각 몇 cm^3입니까?

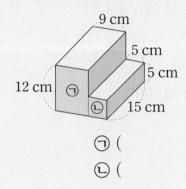

㉠ (   )

㉡ (   )

(2) 입체도형의 부피는 몇 cm^3입니까?

(   )

비법 PLUS

➕ **복잡한 입체도형의 부피 구하기**

여러 개의 직육면체로 나누어 부피의 합을 구하거나 큰 직육면체의 부피에서 작은 직육면체의 부피를 빼서 구합니다.

부피: 부피:
㉠+㉡   ㉢-㉣

유제 7

오른쪽 입체도형은 큰 직육면체에서 직육면체 모양을 잘라 내어 만든 것입니다. 오른쪽 입체도형의 부피는 몇 cm^3인지 구해 보시오.

(   )

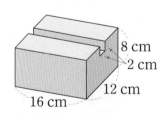

유제 8

오른쪽 입체도형은 큰 직육면체 안에 정육면체 모양의 구멍을 파서 만든 것입니다. 이 입체도형의 부피가 995 cm^3일 때 파인 정육면체 모양의 한 모서리의 길이는 몇 cm인지 구해 보시오.

(   )

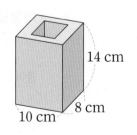

대표유형 05 물속에 넣은 돌의 부피 구하기

오른쪽과 같은 직육면체 모양의 물통에 물이 10 cm 높이만큼 들어 있습니다. 이 물통에 돌을 완전히 잠기게 넣었더니 물의 높이가 13 cm가 되었습니다. 돌의 부피는 몇 cm³인지 구해 보시오.

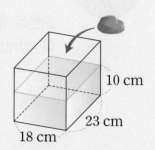

(1) 늘어난 물의 높이는 몇 cm입니까?

(   )

(2) 돌의 부피는 몇 cm³입니까?

(   )

비법 PLUS

(물속에 완전히 잠기게 넣은 돌의 부피)
=(늘어난 물의 부피)

유제 **9**

오른쪽과 같은 직육면체 모양의 물통에 완전히 잠겨 있던 돌을 꺼내었더니 물의 높이가 14 cm가 되었습니다. 돌의 부피는 몇 cm³인지 구해 보시오.

(   )

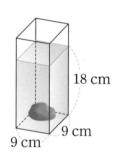

유제 **10** 서술형 문제

오른쪽과 같은 직육면체 모양의 수조에 물이 5 cm 높이만큼 들어 있습니다. 이 수조에 부피가 480 cm³인 돌을 완전히 잠기도록 넣었을 때 물의 높이는 몇 cm가 되는지 풀이 과정을 쓰고 답을 구해 보시오.

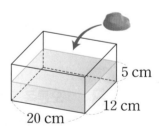

풀이 |

답 |

신유형
06

묶는 데 사용한 끈의 길이를 이용하여 부피 구하기

세현이는 택배를 보내기 위해 직육면체 모양의 상자에 길이가 130 cm인 끈을 오른쪽과 같이 둘러 묶었더니 12 cm가 남았습니다. 택배 상자의 부피는 몇 cm³인지 구해 보시오.

(단, 매듭의 길이는 생각하지 않습니다.)

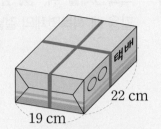

19 cm 22 cm

───────────────

(1) 택배 상자의 높이는 몇 cm입니까?

(   )

(2) 택배 상자의 부피는 몇 cm³입니까?

(   )

신유형 PLUS

직육면체의 각 면을 둘러 싼 끈의 길이는 평행한 모서리의 길이와 같습니다.

유제
11

직육면체 모양의 상자에 길이가 150 cm인 끈을 오른쪽과 같이 둘러 묶었더니 14 cm가 남았습니다. 상자의 부피는 몇 cm³인지 구해 보시오. (단, 매듭의 길이는 생각하지 않습니다.)

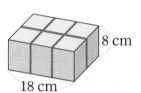

8 cm

18 cm

(   )

유제
12

직육면체 가와 정육면체 나의 밑면은 서로 합동인 정사각형 모양입니다. 길이가 140 cm인 끈을 각각 1개씩 사용하여 오른쪽과 같이 둘러 묶었더니 직육면체 가에서는 8 cm가 남고, 정육면체 나에서는 32 cm가 남았습니다. 직육면체 가의 부피는 몇 cm³인지 구해 보시오. (단, 매듭의 길이는 생각하지 않습니다.)

가   나

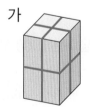

(   )

상위권 문제 | 확인과 응용

1 직육면체를 위, 앞, 옆에서 본 모양이 모두 오른쪽과 같을 때 직육면체의 겉넓이는 몇 cm²인지 구해 보시오.

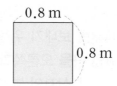

(   )

0.8 m
0.8 m

비법 PLUS

2 크기가 같은 정육면체 모양의 쌓기나무를 쌓아서 오른쪽과 같이 만들었습니다. 만든 입체도형의 부피가 448 cm³일 때 쌓기나무 한 개의 한 모서리의 길이는 몇 cm인지 구해 보시오. (단, 보이지 않는 쌓기나무는 없습니다.)

(   )

✚ (쌓기나무 1개의 부피)
　＝(쌓기나무 ■ 개로 만든
　　입체도형의 부피)÷ ■

3 부피가 오른쪽 직육면체 부피의 2배와 같은 정육면체가 있습니다. 정육면체의 한 모서리의 길이는 몇 cm인지 구해 보시오.

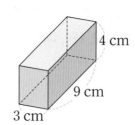

(   )

4 cm
9 cm
3 cm

4 직육면체의 겉넓이는 190000 cm²입니다. 부피는 몇 m³인지 구해 보시오.

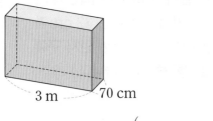

3 m   70 cm

(   )

5 직육면체 모양의 나무토막을 오른쪽과 같이 똑같은 직육면체 모양 4도막으로 나누었습니다. 나무토막 4도막의 겉넓이의 합은 처음 나무토막의 겉넓이보다 몇 cm^2 더 늘어나는지 구해 보시오.

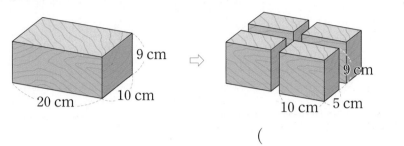

(ㅤ)

비법 PLUS

✚ 나무토막을 나누면 처음 나무토막보다 빗금 친 면이 더 늘어납니다.

서술형 문제

6 오른쪽 정육면체의 겨냥도에서 보이지 않는 면의 넓이의 합은 $147 \ m^2$입니다. 정육면체의 부피는 몇 m^3인지 풀이 과정을 쓰고 답을 구해 보시오.

풀이 |

답 |

✚ 정육면체의 겨냥도에서 보이는 면은 3개, 보이지 않는 면은 3개입니다.

7 왼쪽 정육면체 모양의 벽돌을 오른쪽 직육면체 모양의 수조에 완전히 잠기게 넣으면 물의 높이는 몇 cm가 되는지 구해 보시오.

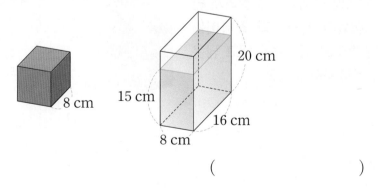

(ㅤ)

8 오른쪽과 같은 직육면체 모양의 상자를 빈틈없이 쌓아 가장 작은 정육면체를 만들었습니다. 만든 정육면체의 부피는 몇 cm^3인지 구해 보시오.

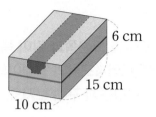

(　　　　　　　)

비법 PLUS

✚ 만들 수 있는 가장 작은 정육면체의 한 모서리의 길이는 직육면체의 가로, 세로, 높이의 최소공배수입니다.

서술형 문제

9 오른쪽 직육면체의 가로는 3 cm 더 늘이고 높이는 90 %로 줄여서 새로운 직육면체를 만들었습니다. 만든 직육면체의 부피는 처음 직육면체의 부피보다 몇 cm^3 더 큰지 풀이 과정을 쓰고 답을 구해 보시오.

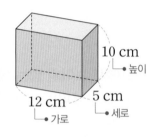

풀이 |

_____

_____

답 | _____

10 오른쪽과 같은 직육면체 모양의 케이크를 잘라서 만들 수 있는 가장 큰 정육면체 모양의 겉넓이는 $384\ cm^2$입니다. 정육면체 모양을 잘라 내고 남은 부분의 부피는 몇 cm^3인지 구해 보시오.

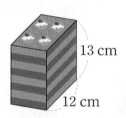

(　　　　　　　)

✚ 직육면체 모양을 잘라서 만들 수 있는 가장 큰 정육면체 모양의 한 모서리의 길이는 직육면체의 가장 짧은 모서리의 길이와 같습니다.

창의융합형 문제

11 소마 큐브는 왼쪽과 같이 크기가 같은 정육면체 3개 또는 4개를 이어 붙여 만든 7개의 조각으로 오른쪽과 같은 큰 정육면체를 만들 수 있는 퍼즐입니다. 오른쪽의 큰 정육면체의 부피가 $216 \, \text{cm}^3$일 때 노란색 조각의 부피는 몇 cm^3인지 구해 보시오.

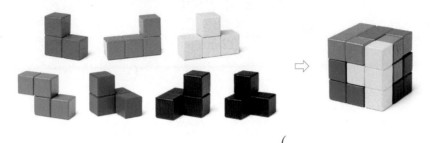

(   )

12 석빙고는 얼음을 저장하기 위해 돌을 쌓아 만든 창고로 추운 겨울에 얼음을 보관해 두었다가 여름에 꺼내어 쓰는 옛날식 냉장고입니다. 한 모서리의 길이가 $30 \, \text{cm}$인 정육면체 모양의 얼음 5개를 오른쪽과 같이 쌓아서 석빙고에 넣으려고 합니다. 쌓아서 만든 얼음의 겉넓이는 몇 cm^2인지 구해 보시오.

(   )

1 큰 직육면체에서 직육면체 모양 2개를 잘라 낸 입체도형입니다. 입체도형의 겉넓이는 몇 cm^2인지 구해 보시오.

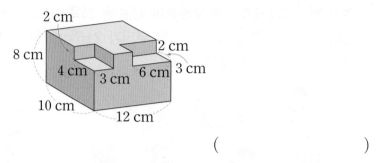

(   )

2 직사각형 모양의 종이가 있습니다. 네 귀퉁이에서 한 변의 길이가 8 cm인 정사각형 모양을 오려 낸 후 점선 부분을 접어서 뚜껑이 없는 상자를 만들었습니다. 만든 상자의 부피는 몇 cm^3인지 구해 보시오.

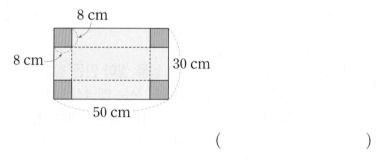

(   )

3 정육면체 모양의 나무토막의 모든 면의 한가운데를 한 모서리의 길이가 5 cm인 정육면체 모양으로 팠습니다. 이 입체도형의 모든 면에 페인트를 칠한다면 페인트를 칠해야 하는 부분의 넓이는 몇 cm^2인지 구해 보시오.

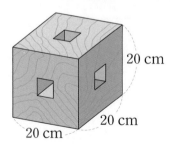

(   )

4 직육면체 모양의 수조에 물을 가득 채운 다음 오른쪽과 같이 수조를 기울였더니 물의 일부가 흘러넘쳤습니다. 남은 물의 부피는 몇 cm^3인지 구해 보시오.

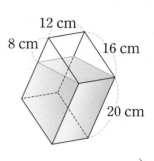

( )

5 크기가 같은 정육면체 모양의 쌓기나무 18개를 그림과 같이 쌓은 후 모든 겉면에 색을 칠했습니다. 색칠한 쌓기나무 18개를 각각 떼어 놓았을 때 색칠된 면의 넓이의 합이 $378\ cm^2$였습니다. 색칠되지 않은 면의 넓이의 합은 몇 cm^2인지 구해 보시오.

( )

6 오른쪽과 같이 직육면체 모양의 물통에 물을 12 cm 높이만큼 넣은 후 가로가 8 cm, 세로가 6 cm인 직육면체 모양의 나무 막대를 세웠습니다. 물의 높이는 몇 cm가 되는지 구해 보시오.

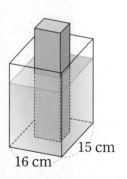

( )

그림을 감상해 보세요.

빈센트 반 고흐, 「별이 빛나는 밤」, 1889년

개념+유형

최상위 탑

15개정 교육과정

개념+유형 **최상위 탑**

정답과 풀이

초등 수학

6·1

visang

ABOVE IMAGINATION

우리는 남다른 상상과 혁신으로
교육 문화의 새로운 전형을 만들어
모든 이의 행복한 경험과 성장에 기여한다

개념+유형 최상위 탑

정답과 풀이

6·1

Top Book

❶ 분수의 나눗셈

7쪽 핵심 개념과 문제

1 $4\dfrac{2}{3}\left(=\dfrac{14}{3}\right)$

2 (위에서부터) $\dfrac{3}{13}$, $\dfrac{5}{16}$, $\dfrac{3}{5}$, $\dfrac{13}{16}$

3 재호, $\dfrac{2}{45}$ **4** $>$

5 미호네 모둠   **6** $\dfrac{7}{11}$

9쪽 핵심 개념과 문제

1 $\dfrac{43}{45}$

2 $1\dfrac{4}{7}\div2=\dfrac{11}{7}\div2=\dfrac{11}{7}\times\dfrac{1}{2}=\dfrac{11}{14}$

3 $\dfrac{4}{15}$ L   **4** $\dfrac{5}{42}$

5 ㉠, ㉢   **6** 6

10~17쪽 상위권 문제

유형 ❶ (1) $2\dfrac{1}{3}$ cm²$\left(=\dfrac{7}{3}$ cm²$\right)$

  (2) $4\dfrac{2}{3}$ cm²$\left(=\dfrac{14}{3}$ cm²$\right)$

유제 **1** $6\dfrac{2}{7}$ cm²$\left(=\dfrac{44}{7}$ cm²$\right)$

유제 **2** $5\dfrac{3}{25}$ cm²$\left(=\dfrac{128}{25}$ cm²$\right)$

유형 ❷ (1) $5\times\square\div2=9$

  (2) $3\dfrac{3}{5}$ cm$\left(=\dfrac{18}{5}$ cm$\right)$

유제 **3** $4\dfrac{2}{3}$ cm$\left(=\dfrac{14}{3}$ cm$\right)$

유제 **4** $2\dfrac{4}{5}$ cm$\left(=\dfrac{14}{5}$ cm$\right)$

유형 ❸ (1) $\dfrac{3}{5}$ (2) $9\dfrac{3}{5}\left(=\dfrac{48}{5}\right)$

유제 **5** $5\dfrac{6}{7}\left(=\dfrac{41}{7}\right)$ 유제 **6** $\dfrac{17}{18}$

유형 ❹ (1) $8\dfrac{4}{5}$, 2 (2) $4\dfrac{2}{5}\left(=\dfrac{22}{5}\right)$

유제 **7** $\dfrac{25}{63}$ 유제 **8** $\dfrac{19}{56}$

유형 ❺ (1) $\dfrac{1}{5}$ (2) 5 (3) 5

유제 **9** 17   유제 **10** 7

유형 ❻ (1) $3\dfrac{1}{10}$ kg$\left(=\dfrac{31}{10}$ kg$\right)$

  (2) $\dfrac{31}{150}$ kg

  (3) $4\dfrac{2}{15}$ kg$\left(=\dfrac{62}{15}$ kg$\right)$

유제 **11** $19\dfrac{1}{5}$ kg$\left(=\dfrac{96}{5}$ kg$\right)$

유제 **12** $\dfrac{29}{200}$ kg

유형 ❼ (1) $1\dfrac{3}{5}$분$\left(=\dfrac{8}{5}$분$\right)$

  (2) 1분 36초

  (3) 오후 5시 1분 36초

유제 **13** 오후 3시 1분 10초

유제 **14** 오후 6시 1분 40초

유형 ❽ (1) 17 km (2) $\dfrac{12}{17}$시간

유제 **15** $1\dfrac{7}{12}$시간$\left(=\dfrac{19}{12}$시간$\right)$

유제 **16** $2\dfrac{31}{72}$시간$\left(=\dfrac{175}{72}$시간$\right)$

18~21쪽 상위권 문제 확인과 응용

1 $1\dfrac{3}{20}\left(=\dfrac{23}{20}\right)$

2 $9\dfrac{3}{5}$ cm$\left(=\dfrac{48}{5}$ cm$\right)$

3 4   **4** $\dfrac{1}{5}$ m²

5 $16\dfrac{2}{3}$ kg$\left(=\dfrac{50}{3}$ kg$\right)$

6 $2\dfrac{13}{24}$ kg$\left(=\dfrac{61}{24}$ kg$\right)$

7 $7\dfrac{1}{5}$ cm$\left(=\dfrac{36}{5}$ cm$\right)$

8 3일

9 $12\frac{4}{5}$ cm$\left(=\frac{64}{5}$ cm$\right)$

10 $41\frac{11}{13}$ cm$^2\left(=\frac{544}{13}$ cm$^2\right)$

11 $\frac{1}{5}$

12 $\frac{3}{20}$ m^2

22~23쪽 최상위권 문제

1 $\frac{1}{8}$ km

2 $\frac{5}{54}$

3 $\frac{2}{5}$

4 $3\frac{7}{12}$ cm$\left(=\frac{43}{12}$ cm$\right)$

5 $18\frac{2}{7}$ cm$^2\left(=\frac{128}{7}$ cm$^2\right)$

6 17분 20초

---

❷ 각기둥과 각뿔

27쪽 핵심 개념과 문제

1 ②

2 16, 10, 24

3 (왼쪽에서부터) 6, 5, 3, 8

4 예

5 구각기둥

6 7 cm

29쪽 핵심 개념과 문제

1 ㉢, ㉣

2 예 옆면이 모두 삼각형이 아니고 사각형이므로 각뿔이 아닙니다.

3 16

4 ㉠, ㉣

5 십이각뿔

6 96 cm

30~35쪽 상위권 문제

유형 ❶ (1) 5개 (2) 25개

유제 **1** 10개   유제 **2** 18개

유형 ❷ (1) 4개 (2) 13개

유제 **3** 16개   유제 **4** 9개

유형 ❸ (1) 21 cm (2) 82 cm

유제 **5** 52 cm   유제 **6** 156 cm

유형 ❹ (1) 12 cm (2) 6 cm

유제 **7** 8 cm   유제 **8** 15 cm

유형 ❺ (1) 삼각기둥, 사각기둥 (2) 21개

유제 **9** 11개   유제 **10** 2개

유형 ❻ (1)
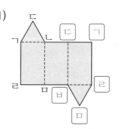
(2)
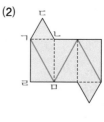

유제 **11**
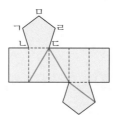

유제 **12**
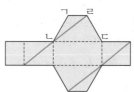

36~39쪽 상위권 문제 확인과 응용

1 5 cm   **2** 24개

3 32 cm   **4** 100 cm

5 십각기둥   **6** 22개

7 51 cm   **8** 74개

9 45개   **10** 189 cm

11 16개   **12** 19 cm

40~41쪽 최상위권 문제

1 16개   **2** 87개

3 142 cm   **4** 십각뿔

5 126 cm   **6** 6 cm

❸ 소수의 나눗셈

45쪽	핵심 개념과 문제

1 <   **2** 100배

3
```
      0. 2 3
  7 ) 1. 6 1
      1 4
        2 1
        2 1
          0
```

4 0.92 kg

5 8.37 cm

6 2.38배

47쪽	핵심 개념과 문제

1 16.2, 4.05   **2** $2.82 \div 6 = 0.47$

3 ㉡, ㉣, ㉠, ㉢   **4** 19.05 km

5 22.85 g   **6** 4개

48~55쪽	상위권 문제

유형❶ (1) 1.61 (2) 0.23

유제 **1** 1.15   유제 **2** 0.49

유형❷ (1) 25 cm² (2) 11 cm² (3) 4.4 cm

유제 **3** 4.25 cm   유제 **4** 8.32 cm

유형❸ (1) 9, 7, 4, 2 (2) 4.87

유제 **5** 2, 5, 6, 8 / 0.32   유제 **6** 8, 7, 4 / 21.75

유형❹ (1) 42.3 g (2) 8.46 g (3) 76.14 g

유제 **7** 34.75 g   유제 **8** 0.33 kg

유형❺ (1) 10그루 (2) 9군데 (3) 7.03 m

유제 **9** 6.77 m   유제 **10** 3.67 m

유형❻ (1) 0.65시간 (2) 32.5 km (3) 16.25 km

유제 **11** 58.05 km   유제 **12** 66.15 m

유형❼ (1) 3.24분 (2) 16.2분 (3) 오전 9시 16분 12초

유제 **13** 오후 2시 32분 33초

유제 **14** 0.88시간

유형❽ (1) 예 $(9+5) \div 5 = 2.8$, $(11+2) \div 2 = 6.5$, $(10+8) \div 8 = 2.25$이므로 위의 두 수의 합을 오른쪽 수로 나누면 아래 수가 되는 규칙입니다.

(2) 3.5

유제 **15** 2.68   유제 **16** 4.5

56~59쪽	상위권 문제 확인과 응용

1 0.18 kg   **2** 32.84

3 158.76 cm²   **4** 8.75

5 8.98 kg   **6** 66.35 km

7 9.35   **8** 13.5 cm

9 1.82 cm   **10** 4.25 cm²

11 삼순이, 0.05 kg   **12** 1시간 5분 21초

60~61쪽	최상위권 문제

1 72.6 cm   **2** 33.1분

3 3.05   **4** 9.8 cm²

5 17분 12초 후   **6** 11분 27초 후

❹ 비와 비율

65쪽	핵심 개념과 문제

1 예 $5 \div 4 = 1.25$, 가로는 세로의 1.25배입니다.

2 다릅니다 / 예 5 : 8은 기준이 8이지만, 8 : 5는 기준이 5이기 때문입니다.

3 (위에서부터) $\frac{2}{5}$, 0.4 / $\frac{3}{4}$, 0.75 / $\frac{2}{16}\left(=\frac{1}{8}\right)$, 0.125

4 9 : 8

5 $\frac{160}{2}(=80)$ / $\frac{225}{3}(=75)$

6 $\frac{14400}{12}(=1200)$ / $\frac{10000}{8}(=1250)$ / 사랑 마을

67쪽	핵심 개념과 문제

1 ㉡   **2** 5 %

3 예

4 65 % / 60 %

5 ㉮ 영화   **6** 16 % / 17 % / 현우

유형 ❶ (1) 55 cm^2 (2) 36 cm^2 (3) $55:36$

유제 1 $105:143$ 　　　유제 2 $169:50$

유형 ❷ (1) $\dfrac{4}{5}$ (2) $20:25$

유제 3 $3:12$ 　　　유제 4 $12:20$

유형 ❸ (1) 20 % / 30 % / 50 % (2) 농구공

유제 5 티셔츠 　　　유제 6 25 %

유형 ❹ (1) 0.03 (2) 1200원 (3) 41200원

유제 7 61500원 　　　유제 8 156000원

유형 ❺ (1) 15 g (2) 25 %

유제 9 24 % 　　　유제 10 13 %

유형 ❻ (1) $\dfrac{240}{20}(=12)$ / $\dfrac{390}{30}(=13)$

　　　(2) 안전 자동차

유제 11 ㉮ 자동차 　　　유제 12 ㉯ 자동차

1 ㉡, ㉢ 　　　2 $\dfrac{2}{80000}\left(=\dfrac{1}{40000}\right)$

3 30개 　　　4 $81:65$

5 150 % 　　　6 20 %

7 208000원 　　　8 ㉮ 은행

9 3060원 　　　10 20명

11 ㉠ 　　　12 50 g

1 0.75 　　　2 1155 cm^2

3 120 g 　　　4 2.5 %

5 120원 　　　6 18 cm

❺ 여러 가지 그래프

1 45, 25, 20, 10, 100 /

이용하는 교통수단별 학생 수

| 0 10 20 30 40 50 60 70 80 90 100(%) |
| 도보 (45 %) | 자전거 (25 %) | 버스 (20 %) | 기타 (10 %) |

2 45 % 　　　3 45 %

4 20000명 　　　5 27750명

6 12명

1 40, 25, 20, 15, 100 / 좋아하는 운동별 학생 수

2 40 % 　　　3 2배

4 여행 가고 싶은 나라별 학생 수

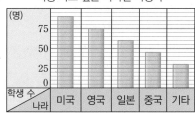

5 여행 가고 싶은 나라별 학생 수

| 0 10 20 30 40 50 60 70 80 90 100(%) |
| 미국 (30 %) | 영국 (25 %) | 일본 (20 %) | 중국 (15 %) | 기타 (10 %) |

6 여행 가고 싶은 나라별 학생 수

86~91쪽 상위권 문제

유형 ① (1) 14 % (2) 7 cm

유제 1 12 cm

유제 2 8.4 cm

유형 ② (1) 4배 (2) 2112 t

유제 3 5400송이

유제 4 1050문제

유형 ③ (1) 212마리 (2) 111마리 (3) 46마리, 65마리

(4) 농장별 소의 수

농장	소의 수
가	🐮🐮🐮🐮🐮🐄🐄
나	🐮🐮🐮🐮🐮🐮🐮🐮🐮🐄🐄🐄
다	🐮🐮🐮🐮🐄🐄🐄🐄🐄🐄
라	🐮🐮🐮🐮🐄🐄🐄🐄🐄

🐮 10마리
🐄 1마리

유제 5 마을별 학생 수

마을	학생 수
가	😊😊😊😊😊😊😊😊
나	😊😊😊😊
다	😊😊😊😊😊
라	😊😊😊😊😊😊😊😊😊

😊 100명
🙂 10명

유형 ④ (1) 78명 (2) 76명 (3) 민정이네 학교, 2명

유제 6 수정이네 마을, 1마리

유형 ⑤ (1) 20 % (2) 27 % (3) 135명

유제 7 960대

유제 8 60개

유형 ⑥ (1) (위에서부터) 63, 45, 9, 36, 27 /
35, 25, 5, 20, 15

(2) 활동별 시간

과학 공부 (15 %)
국어 공부 (20 %)
수학 공부 (35 %)
영어 공부 (25 %)
휴식 (5 %)

유제 9 활동별 시간

저녁 식사 (10 %)
독서 (20 %)
공부 (30 %)
운동 (25 %)
방 청소 (15 %)

92~95쪽 상위권 문제 확인과 응용

1 권역별 인구수

서울·인천·경기 강원
대전·세종·충청 대구·부산·울산·경상
광주·전라
제주

👨 1000만 명
👨 100만 명

2 2.5배

3 ⓐ 14세 이하 인구는 감소하고, 15~64세 인구와 65세 이상 인구는 증가하고 있으므로 65세 이상 인구가 계속 증가하여 고령화 현상이 심화될 것 같습니다.

4 5 cm

5 동별 승용차 수

동	승용차 수
가	🚗🚗🚗🚗🚗🚗🚙🚙
나	🚗🚙🚙🚙🚙🚙
다	🚗🚗🚙🚙🚙🚙🚙🚙🚙
라	🚗🚙🚙🚙🚙🚙🚙🚙

🚗 100대
🚙 10대

6 16명 　**7** 30그루

8 2문제 　**9** 22 %

10 96권 　**11** ⓐ 약 3배

12 약 363만 명

96~97쪽 최상위권 문제

1 36분 　**2** 3개

3 60 % 　**4** 7 cm²

5 태권도 학원 　**6** 1071000원

⑥ 직육면체의 부피와 겉넓이

101쪽 핵심 개념과 문제

1 (1) 160 cm³ (2) 216 cm³

2 가와 다 / ⓐ 직접 맞대어 부피를 비교하려면 가로, 세로, 높이 중에서 두 종류 이상의 길이가 같아야 합니다. 가와 다는 가로와 세로가 각각 4 cm, 3 cm로 같기 때문에 직접 맞대어 부피를 비교할 수 있습니다.

3 다 　**4** 나

5 27배 　**6** 6

103쪽 핵심 개념과 문제

1 214 cm^2 **2** 150 cm^2
3 ㉢, ㉡, ㉠, ㉣   **4** 12 cm^2
5 7 m   **6** 8

104~109쪽 상위권 문제

유형 **1** (1) 10 (2) 312 cm^2
유제 **1** 416 cm^3 유제 **2** 330 cm^2
유형 **2** (1) (왼쪽에서부터) 12, 5 (2) 358 cm^2
유제 **3** 198 cm^2 유제 **4** 158 cm^2
유형 **3** (1) 6개, 4개, 8개 (2) 192개
유제 **5** 240개   유제 **6** 1600개
유형 **4** (1) 1620 cm^3, 375 cm^3 (2) 1995 cm^3
유제 **7** 1472 cm^3 유제 **8** 5 cm
유형 **5** (1) 3 cm (2) 1242 cm^3
유제 **9** 324 cm^3 유제 **10** 7 cm
유형 **6** (1) 9 cm (2) 3762 cm^3
유제 **11** 1872 cm^3 유제 **12** 1215 cm^3

110~113쪽 상위권 문제 확인과 응용

1 38400 cm^2 **2** 4 cm
3 6 cm   **4** 4.2 m^3
5 540 cm^2 **6** 343 m^3
7 19 cm   **8** 27000 cm^3
9 75 cm^3 **10** 736 cm^3
11 32 cm^3 **12** 18000 cm^2

114~115쪽 최상위권 문제

1 592 cm^2 **2** 3808 cm^3
3 3000 cm^2 **4** 3072 cm^3
5 594 cm^2 **6** 15 cm

Review Book

① 분수의 나눗셈

2~3쪽 복습 상위권 문제

1 $3\frac{1}{9} \text{ cm}^2 \left(=\frac{28}{9} \text{ cm}^2\right)$ **2** $3\frac{3}{7} \text{ cm}\left(=\frac{24}{7} \text{ cm}\right)$

3 $4\frac{5}{7}\left(=\frac{33}{7}\right)$ **4** $2\frac{3}{5}\left(=\frac{13}{5}\right)$

5 4   **6** $26\frac{1}{4} \text{ kg}\left(=\frac{105}{4} \text{ kg}\right)$

7 오전 10시 2분 15초   **8** $1\frac{7}{13}$ 시간 $\left(=\frac{20}{13}$ 시간$\right)$

4~7쪽 복습 상위권 문제 확인과 응용

1 $1\frac{13}{15}\left(=\frac{28}{15}\right)$ **2** $10\frac{2}{3} \text{ cm}\left(=\frac{32}{3} \text{ cm}\right)$

3 6   **4** $\frac{1}{7} \text{ m}^2$

5 26 kg   **6** $4\frac{69}{80} \text{ kg}\left(=\frac{389}{80} \text{ kg}\right)$

7 $4\frac{1}{4} \text{ cm}\left(=\frac{17}{4} \text{ cm}\right)$ **8** 4일

9 $26\frac{2}{3} \text{ cm}\left(=\frac{80}{3} \text{ cm}\right)$

10 $64\frac{12}{17} \text{ cm}^2\left(=\frac{1100}{17} \text{ cm}^2\right)$

11 $\frac{1}{8}$ **12** $\frac{8}{75} \text{ m}^2$

8~9쪽 복습 최상위권 문제

1 7 km   **2** $\frac{5}{144}$

3 $\frac{2}{3}$ **4** $1\frac{11}{24} \text{ cm}\left(=\frac{35}{24} \text{ cm}\right)$

5 $22\frac{2}{9} \text{ cm}^2\left(=\frac{200}{9} \text{ cm}^2\right)$

6 10분 15초

❷ 각기둥과 각뿔

10~11쪽 [복습] 상위권 문제

1 35개   **2** 5개
3 91 cm   **4** 9 cm
5 21개
6

12~15쪽 [복습] 상위권 문제 확인과 응용

1 4 cm   **2** 23개
3 36 cm   **4** 122 cm
5 십이각기둥   **6** 25개
7 62 cm   **8** 68개
9 63개   **10** 207 cm
11 36개   **12** 88 cm

16~17쪽 [복습] 최상위권 문제

1 16개   **2** 29개
3 240 cm   **4** 칠각뿔
5 144 cm   **6** 4 cm

❸ 소수의 나눗셈

18~19쪽 [복습] 상위권 문제

1 0.66   **2** 5.75 cm
3 4.88   **4** 545.25 g
5 7.5 m   **6** 32.25 km
7 오전 10시 23분 36초   **8** 6.5

20~23쪽 [복습] 상위권 문제 확인과 응용

1 0.15 kg   **2** 53.54
3 302.76 cm^2 **4** 21.9
5 8.79 kg   **6** 78.22 km
7 7.92   **8** 22 cm
9 2.33 cm   **10** 39.69 cm^2
11 민우, 0.14 m   **12** 1시간 19분 30초

24~25쪽 [복습] 최상위권 문제

1 76.2 cm   **2** 60.8분
3 4.75   **4** 12.3 cm^2
5 20분 24초 후   **6** 14분 45초 후

❹ 비와 비율

26~27쪽 [복습] 상위권 문제

1 91 : 120   **2** 18 : 24
3 슬리퍼   **4** 71400원
5 30 %   **6** ㉮ 자동차

28~31쪽 [복습] 상위권 문제 확인과 응용

1 ㉡, ㉢   **2** $\dfrac{6}{180000}\left(=\dfrac{1}{30000}\right)$
3 36대   **4** 144 : 119
5 75 %   **6** 15 %
7 164800원   **8** ㉯ 은행
9 40560원   **10** 930석
11 ㉠   **12** 80 g

1 1.4 **2** 1632 cm^2
3 25 g **4** 2.4 %
5 2432원 **6** 6 cm

❺ 여러 가지 그래프

1 4 cm **2** 320만 원
3

과수원별 나무 수

과수원	나무 수

4 동후네 집, 19 kg **5** 240권
6

활동별 시간

 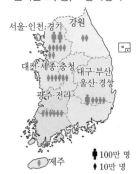

1 권역별 초, 중, 고등학생 수

2 2배
3 📝 자전거 이용자 수가 점점 늘어나고 있으므로 자전거 도로를 더 넓히는 정책을 세울 수 있습니다.
4 4 cm

5 목장별 양의 수

목장	양의 수
가	
나	
다	
라	

🐑100마리
🐑10마리

6 20명 **7** 60병
8 87명 **9** 30 %
10 28명 **11** 📝 약 2배
12 약 180 km^2

1 27분 **2** 6개
3 20 % **4** 11 cm^2
5 5학년 **6** 8460 g

❻ 직육면체의 부피와 겉넓이

1 624 cm^2 **2** 622 cm^2
3 250개 **4** 2160 cm^3
5 1600 cm^3 **6** 46200 cm^3

1 72600 cm^2 **2** 3 cm
3 8 cm **4** 7.2 m^3
5 960 cm^2 **6** 1000 m^3
7 12 cm **8** 64000 cm^3
9 280 cm^3 **10** 531 cm^3
11 40 cm^3 **12** 41600 cm^2

1 1144 cm^2 **2** 9240 cm^3
3 1734 cm^2 **4** 1296 cm^3
5 1472 cm^2 **6** 12 cm

① 분수의 나눗셈

핵심 개념과 문제   7쪽

1 $4\dfrac{2}{3}\left(=\dfrac{14}{3}\right)$

2 (위에서부터) $\dfrac{3}{13}$, $\dfrac{5}{16}$, $\dfrac{3}{5}$, $\dfrac{13}{16}$

3 재호, $\dfrac{2}{45}$ **4** >

5 미호네 모둠   **6** $\dfrac{7}{11}$

---

1 가장 큰 수는 14이고, 가장 작은 수는 3입니다.

$\Rightarrow 14 \div 3 = \dfrac{14}{3} = 4\dfrac{2}{3}$

3 재호: $\dfrac{2}{15} \div 3 = \dfrac{6}{45} \div 3 = \dfrac{6 \div 3}{45} = \dfrac{2}{45}$

4 • $\dfrac{8}{9} \div 4 = \dfrac{8 \div 4}{9} = \dfrac{2}{9}$

• $\dfrac{2}{5} \div 3 = \dfrac{6}{15} \div 3 = \dfrac{6 \div 3}{15} = \dfrac{2}{15}$

$\Rightarrow \dfrac{2}{9} > \dfrac{2}{15}$

5 • 경아네 모둠: $15 \div 4 = \dfrac{15}{4} = 3\dfrac{3}{4}(\text{m}^2)$

• 미호네 모둠: $13 \div 3 = \dfrac{13}{3} = 4\dfrac{1}{3}(\text{m}^2)$

$\Rightarrow 3\dfrac{3}{4} < 4\dfrac{1}{3}$이므로 오이를 심을 텃밭이 더 넓은 모둠은 미호네 모둠입니다.

6 어떤 자연수를 ☐라 하면
☐×11=77에서 ☐=77÷11=7입니다.

따라서 바르게 계산하면 $7 \div 11 = \dfrac{7}{11}$입니다.

---

1 $\dfrac{43}{5} = 8\dfrac{3}{5}$이므로 $\dfrac{43}{5} < 9$입니다.

$\Rightarrow \dfrac{43}{5} \div 9 = \dfrac{43}{5} \times \dfrac{1}{9} = \dfrac{43}{45}$

2 대분수를 가분수로 바꾸지 않고 잘못 계산한 것이므로 대분수를 가분수로 바꾸어 계산해야 합니다.

3 (전체 우유의 양)÷(사람 수)

$= \dfrac{4}{5} \div 3 = \dfrac{4}{5} \times \dfrac{1}{3} = \dfrac{4}{15}(\text{L})$

4 $7 \times ☐ = \dfrac{5}{6}$

$\Rightarrow ☐ = \dfrac{5}{6} \div 7 = \dfrac{5}{6} \times \dfrac{1}{7} = \dfrac{5}{42}$

5 ㉠ $2\dfrac{2}{3} \div 4 = \dfrac{8}{3} \div 4 = \dfrac{2}{3}\left(> \dfrac{1}{2}\right)$

㉡ $4\dfrac{6}{7} \div 17 = \dfrac{34}{7} \div 17 = \dfrac{2}{7}\left(< \dfrac{1}{2}\right)$

㉢ $3\dfrac{1}{5} \div 8 = \dfrac{16}{5} \div 8 = \dfrac{2}{5}\left(< \dfrac{1}{2}\right)$

㉣ $5\dfrac{4}{9} \div 7 = \dfrac{49}{9} \div 7 = \dfrac{7}{9}\left(> \dfrac{1}{2}\right)$

참고 $\dfrac{1}{2}$을 이용한 분수의 크기 비교

• (분자)×2 > (분모)이면 $\dfrac{1}{2}$보다 큰 분수입니다.

• (분자)×2 < (분모)이면 $\dfrac{1}{2}$보다 작은 분수입니다.

6 $1\dfrac{2}{5} \div 3 = \dfrac{7}{5} \times \dfrac{1}{3} = \dfrac{7}{15}$

$\dfrac{☐}{15} < \dfrac{7}{15} \Rightarrow ☐ < 7$이므로 ☐ 안에 들어갈 수 있는 자연수는 1, 2……5, 6으로 이 중에서 가장 큰 수는 6입니다.

핵심 개념과 문제   9쪽

1 $\dfrac{43}{45}$

2 $1\dfrac{4}{7} \div 2 = \dfrac{11}{7} \div 2 = \dfrac{11}{7} \times \dfrac{1}{2} = \dfrac{11}{14}$

3 $\dfrac{4}{15}$ L   **4** $\dfrac{5}{42}$

5 ㉠, ㉣   **6** 6

상위권 문제   10~17쪽

유형 ① (1) $2\dfrac{1}{3}$ cm$^2\left(= \dfrac{7}{3}$ cm$^2\right)$

       (2) $4\dfrac{2}{3}$ cm$^2\left(= \dfrac{14}{3}$ cm$^2\right)$

유제 1 $6\dfrac{2}{7}$ cm$^2\left(= \dfrac{44}{7}$ cm$^2\right)$

유제 2 $5\dfrac{3}{25}$ cm$^2\left(= \dfrac{128}{25}$ cm$^2\right)$

유형 ❷ (1) $5 \times \square \div 2 = 9$

(2) $3\frac{3}{5}$ cm$\left(=\frac{18}{5}$ cm$\right)$

유제 3 $4\frac{2}{3}$ cm$\left(=\frac{14}{3}$ cm$\right)$

유제 4 $2\frac{4}{5}$ cm$\left(=\frac{14}{5}$ cm$\right)$

유형 ❸ (1) $\frac{3}{5}$ (2) $9\frac{3}{5}\left(=\frac{48}{5}\right)$

유제 5 $5\frac{6}{7}\left(=\frac{41}{7}\right)$　　유제 6 풀이 참조, $\frac{17}{18}$

유형 ❹ (1) $8\frac{4}{5}$, 2 (2) $4\frac{2}{5}\left(=\frac{22}{5}\right)$

유제 7 $\frac{25}{63}$　　　　유제 8 $\frac{19}{56}$

유형 ❺ (1) $\frac{1}{5}$ (2) 5 (3) 5

유제 9 17　　　　　　유제 10 7

유형 ❻ (1) $3\frac{1}{10}$ kg$\left(=\frac{31}{10}$ kg$\right)$

(2) $\frac{31}{150}$ kg

(3) $4\frac{2}{15}$ kg$\left(=\frac{62}{15}$ kg$\right)$

유제 11 $19\frac{1}{5}$ kg$\left(=\frac{96}{5}$ kg$\right)$

유제 12 풀이 참조, $\frac{29}{200}$ kg

유형 ❼ (1) $1\frac{3}{5}$ 분$\left(=\frac{8}{5}$ 분$\right)$

(2) 1분 36초

(3) 오후 5시 1분 36초

유제 13 오후 3시 1분 10초

유제 14 오후 6시 1분 40초

유형 ❽ (1) 17 km (2) $\frac{12}{17}$ 시간

유제 15 $1\frac{7}{12}$ 시간$\left(=\frac{19}{12}$ 시간$\right)$

유제 16 $2\frac{31}{72}$ 시간$\left(=\frac{175}{72}$ 시간$\right)$

유형 ❶ (1) (작은 삼각형 한 개의 넓이)
$$=11\frac{2}{3} \div 5 = \frac{35}{3} \div 5 = \frac{7}{3} = 2\frac{1}{3}(\text{cm}^2)$$

(2) (색칠한 부분의 넓이)$= 2\frac{1}{3} \times 2 = 4\frac{2}{3}(\text{cm}^2)$

유제 1 (작은 삼각형 한 개의 넓이)
$$= 9\frac{3}{7} \div 6 = \frac{66}{7} \div 6 = \frac{66 \div 6}{7}$$
$$= \frac{11}{7} = 1\frac{4}{7}(\text{cm}^2)$$
⇨ (색칠한 부분의 넓이)
$$= 1\frac{4}{7} \times 4 = \frac{11}{7} \times 4 = \frac{44}{7} = 6\frac{2}{7}(\text{cm}^2)$$

유제 2 (가장 큰 정사각형의 넓이)
$$= 3\frac{1}{5} \times 3\frac{1}{5} = \frac{16}{5} \times \frac{16}{5}$$
$$= \frac{256}{25} = 10\frac{6}{25}(\text{cm}^2)$$
(작은 사각형 한 개의 넓이)
$$= 10\frac{6}{25} \div 16 = \frac{256}{25} \div 16$$
$$= \frac{256 \div 16}{25} = \frac{16}{25}(\text{cm}^2)$$
⇨ (색칠한 부분의 넓이)
$$= \frac{16}{25} \times 8 = \frac{128}{25} = 5\frac{3}{25}(\text{cm}^2)$$

유형 ❷ (2) $5 \times \square \div 2 = 9$
⇨ $\square = 9 \times 2 \div 5 = 18 \div 5$
$$= \frac{18}{5} = 3\frac{3}{5}$$

유제 3 마름모의 다른 대각선의 길이를 $\square$ cm라 하면
$3 \times \square \div 2 = 7$입니다.
⇨ $\square = 7 \times 2 \div 3 = 14 \div 3 = \frac{14}{3} = 4\frac{2}{3}$

유제 4 사다리꼴의 높이를 $\square$ cm라 하면
$(2+5) \times \square \div 2 = \frac{49}{5}$입니다.
⇨ $\square = \frac{49}{5} \times 2 \div (2+5) = \frac{49}{5} \times 2 \div 7$
$$= \frac{98}{5} \div 7 = \frac{98 \div 7}{5} = \frac{14}{5} = 2\frac{4}{5}$$

유형 ❸ (1) (눈금 한 칸의 크기)
$$= (12-9) \div 5 = 3 \div 5 = \frac{3}{5}$$

(2) 수직선에서 ㉠은 9보다 눈금 한 칸만큼 더 큰 수이므로
$$㉠ = 9 + \frac{3}{5} = 9\frac{3}{5}$$입니다.

유제 5 (눈금 한 칸의 크기)

$$= (8-3) \div 7 = 5 \div 7 = \frac{5}{7}$$

수직선에서 ㉠은 3보다 눈금 4칸만큼 더 큰 수입니다.

$$\Rightarrow ㉠ = 3 + \frac{5}{7} \times 4 = 3 + \frac{20}{7} = 5\frac{6}{7}$$

유제 6 예 수직선의 눈금 한 칸의 크기는

$$\left(6\frac{4}{5} - 5\frac{2}{3}\right) \div 6 = \left(6\frac{12}{15} - 5\frac{10}{15}\right) \div 6$$
$$= \frac{17}{15} \times \frac{1}{6} = \frac{17}{90} \text{입니다.} ❶$$

따라서 수직선에서 ㉠과 ㉡이 나타내는 수의 차는 눈금 5칸만큼의 크기와 같으므로

$$\frac{17}{90} \times 5 = \frac{17}{18} \text{입니다.} ❷$$

채점 기준

| ❶ 수직선의 눈금 한 칸의 크기 구하기 |
| ❷ 수직선에서 ㉠과 ㉡이 나타내는 수의 차 구하기 |

유형 4 (1) 계산 결과가 가장 크려면 가장 작은 수를 나누는 수에 놓고, 나머지 수로 가장 큰 대분수를 만들어야 하므로 나누는 수는 2이고, 나누어지는 수는 $8\frac{4}{5}$입니다.

(2) $8\frac{4}{5} \div 2 = \frac{44}{5} \div 2 = \frac{44 \div 2}{5}$
$$= \frac{22}{5} = 4\frac{2}{5}$$

유제 7 계산 결과가 가장 작으려면 가장 큰 수를 나누는 수에 놓고, 나머지 수로 가장 작은 대분수를 만들어야 하므로 나누는 수는 9이고, 나누어지는 수는 $3\frac{4}{7}$입니다.

$$\Rightarrow 3\frac{4}{7} \div 9 = \frac{25}{7} \times \frac{1}{9} = \frac{25}{63}$$

유제 8 계산 결과가 가장 작으려면 가장 큰 수를 나누는 수에 놓고, 나머지 수로 가장 작은 대분수를 만들어야 하므로 나누는 수는 8이고, 나누어지는 수는 $2\frac{5}{7}$입니다.

$$\Rightarrow 2\frac{5}{7} \div 8 = \frac{19}{7} \times \frac{1}{8} = \frac{19}{56}$$

유형 5 (1) $3\frac{1}{5} \div 16 = \frac{16}{5} \div 16 = \frac{16 \div 16}{5} = \frac{1}{5}$

(2) $3\frac{1}{5} \div 16 \times ▲ = \frac{1}{5} \times ▲$에서 $\frac{1}{5}$의 분모가 약분되어 1이 되면 계산 결과가 가장 작은 자연수가 되므로 ▲에 알맞은 자연수는 5의 배수이어야 합니다.

(3) 계산 결과가 가장 작은 자연수가 되어야 하므로 ▲에 알맞은 자연수는 5의 배수 중 가장 작은 수인 5입니다.

유제 9 $1\frac{3}{17} \times ★ \div 20 = \frac{20}{17} \times ★ \div 20 = \frac{1}{17} \times ★$

에서 $\frac{1}{17}$의 분모가 약분되어 1이 되면 계산 결과가 가장 작은 자연수가 되므로 ★에 알맞은 자연수는 17의 배수 중 가장 작은 수인 17입니다.

유제 10 $2\frac{●}{9} \div 5 \times 27 = \frac{(18+●)}{9} \times \frac{1}{5} \times 27$
$$= \frac{(18+●)}{45} \times 27$$
$$= \frac{(18+●)}{5} \times 3$$

계산 결과가 자연수가 되려면 $(18+●)$가 5의 배수가 되어야 합니다.

$(18+●)$를 5의 배수 $20(=18+2)$, $25(=18+7)$, $30(=18+12)$……으로 만드는 ●는 2, 7, 12……이고, ●는 9보다 작아야 하므로 계산 결과가 가장 큰 자연수가 되는 ●는 7입니다.

유형 6 (1) (통조림 캔 15개의 무게)
$$= 3\frac{1}{2} - \frac{2}{5} = 3\frac{5}{10} - \frac{4}{10} = 3\frac{1}{10} \text{(kg)}$$

(2) (통조림 캔 한 개의 무게)
$$= 3\frac{1}{10} \div 15 = \frac{31}{10} \times \frac{1}{15} = \frac{31}{150} \text{(kg)}$$

(3) (통조림 캔 20개의 무게)
$$= \frac{31}{150} \times 20 = \frac{62}{15} = 4\frac{2}{15} \text{(kg)}$$

유제 11 (장난감 17개의 무게)

$$=7\frac{1}{20}-\frac{1}{4}=6\frac{21}{20}-\frac{5}{20}$$

$$=6\frac{16}{20}=6\frac{4}{5}(kg)$$

(장난감 한 개의 무게)

$$=6\frac{4}{5}\div17=\frac{34}{5}\div17=\frac{2}{5}(kg)$$

➪ (장난감 48개의 무게)

$$=\frac{2}{5}\times48=\frac{96}{5}=19\frac{1}{5}(kg)$$

유제 12 예 야구공 10개가 들어 있는 상자 한 개의 무게는

$$8\frac{3}{4}\div5=\frac{35}{4}\div5=\frac{7}{4}=1\frac{3}{4}(kg)입니다.」❶$$

야구공 10개의 무게는

$$1\frac{3}{4}-\frac{3}{10}=1\frac{15}{20}-\frac{6}{20}=1\frac{9}{20}(kg)입니다.」❷$$

따라서 야구공 한 개의 무게는

$$1\frac{9}{20}\div10=\frac{29}{20}\times\frac{1}{10}=\frac{29}{200}(kg)입니다.」❸$$

채점 기준

| ❶ 야구공 10개가 들어 있는 상자 한 개의 무게 구하기 |
| ❷ 야구공 10개의 무게 구하기 |
| ❸ 야구공 한 개의 무게 구하기 |

유제 7 (1) 5일에 8분씩 빨라지므로 하루에 빨라지는 시간은 $8\div5=\frac{8}{5}=1\frac{3}{5}$(분)입니다.

(2) $1\frac{3}{5}분=1\frac{36}{60}분=1분 36초$

(3) 다음 날 오후 5시에 이 시계가 가리키는 시각은 오후 5시+1분 36초=오후 5시 1분 36초입니다.

참고 진분수 $\frac{■}{60}$분은 ■초이므로 $1\frac{3}{5}$분을 몇 분 몇 초인지 구하려면 분모가 60인 분수로 나타내어야 합니다.

유제 13 (하루에 빨라지는 시간)

$$=8\frac{1}{6}\div7=\frac{49}{6}\div7=\frac{7}{6}=1\frac{1}{6}(분)$$

$1\frac{1}{6}분=1\frac{10}{60}분=1분 10초이므로$

다음 날 오후 3시에 이 시계가 가리키는 시각은 오후 3시+1분 10초=오후 3시 1분 10초입니다.

유제 14 (하루에 빨라지는 시간)

$$=3\frac{3}{4}\div3=\frac{15}{4}\div3=\frac{5}{4}=1\frac{1}{4}(분)$$

(한 시간에 빨라지는 시간)

$$=1\frac{1}{4}\div24=\frac{5}{4}\div24=\frac{5}{4}\times\frac{1}{24}=\frac{5}{96}(분)$$

9월 6일 오후 6시는 9월 5일 오전 10시부터 32시간 후이므로 빨라지는 시간은

$$\frac{5}{96}\times32=\frac{5}{3}=1\frac{2}{3}(분)입니다.$$

$1\frac{2}{3}분=1\frac{40}{60}분=1분 40초이므로$

9월 6일 오후 6시에 이 시계가 가리키는 시각은 오후 6시+1분 40초=오후 6시 1분 40초입니다.

유형 8 (1) 강물이 가 선착장에서 나 선착장 방향으로 흐르므로 배가 가 선착장에서 나 선착장으로 갈 때는 한 시간에 15+2=17(km)를 갑니다.

(2) (배가 가 선착장에서 나 선착장까지 가는 데 걸리는 시간)$=12\div17=\frac{12}{17}(시간)$

유제 15 강물이 가 선착장에서 나 선착장 방향으로 흐르므로 배가 나 선착장에서 가 선착장으로 갈 때는 한 시간에 13-1=12(km)를 갑니다.

➪ (배가 나 선착장에서 가 선착장까지 가는 데 걸리는 시간)$=19\div12=\frac{19}{12}=1\frac{7}{12}(시간)$

유제 16 강물이 가 선착장에서 나 선착장 방향으로 흐르므로 배가 가 선착장에서 나 선착장으로 갈 때는 한 시간에 21+3=24(km)를 가고, 나 선착장에서 가 선착장으로 돌아올 때는 한 시간에 21-3=18(km)를 갑니다.

(배가 가 선착장에서 나 선착장까지 가는 데 걸리는 시간)$=25\div24=\frac{25}{24}=1\frac{1}{24}(시간)$

(배가 나 선착장에서 가 선착장까지 돌아오는 데 걸리는 시간)$=25\div18=\frac{25}{18}=1\frac{7}{18}(시간)$

➪ (배가 한 번 왕복하는 데 걸리는 시간)

$$=1\frac{1}{24}+1\frac{7}{18}=1\frac{3}{72}+1\frac{28}{72}$$

$$=2\frac{31}{72}(시간)$$

정답과 풀이 Top Book

상위권 문제 확인과 응용 18~21쪽

1 $1\frac{3}{20}\left(=\frac{23}{20}\right)$

2 $9\frac{3}{5}$ cm$\left(=\frac{48}{5}$ cm$\right)$

3 4 **4** 풀이 참조, $\frac{1}{5}$ m^2

5 $16\frac{2}{3}$ kg$\left(=\frac{50}{3}$ kg$\right)$

6 풀이 참조, $2\frac{13}{24}$ kg$\left(=\frac{61}{24}$ kg$\right)$

7 $7\frac{1}{5}$ cm$\left(=\frac{36}{5}$ cm$\right)$

8 3일

9 $12\frac{4}{5}$ cm$\left(=\frac{64}{5}$ cm$\right)$

10 $41\frac{11}{13}$ cm$^2\left(=\frac{544}{13}$ cm$^2\right)$

11 $\frac{1}{5}$ **12** $\frac{3}{20}$ m^2

1 (눈금 한 칸의 크기)

$=\left(1\frac{3}{4}-\frac{2}{5}\right)\div9=1\frac{7}{20}\div9$

$=\frac{27}{20}\div9=\frac{27\div9}{20}=\frac{3}{20}$

수직선에서 ㉠은 $\frac{2}{5}$보다 눈금 5칸만큼 더 큰 수입니다.

$\Rightarrow$ ㉠$=\frac{2}{5}+\frac{3}{20}\times5=\frac{2}{5}+\frac{3}{4}=\frac{23}{20}=1\frac{3}{20}$

2 정육면체의 전개도의 둘레는 정육면체의 한 모서리의 길이의 14배이므로 정육면체의 한 모서리의 길이는 $11\frac{1}{5}\div14=\frac{56}{5}\div14=\frac{4}{5}$(cm)입니다.

정육면체의 모서리는 12개이므로 정육면체의 모든 모서리의 길이의 합은 $\frac{4}{5}\times12=\frac{48}{5}=9\frac{3}{5}$(cm)입니다.

3 $\frac{㉮}{㉯}\times(㉯-4)$

$=㉮\div㉯\times(㉯-4)=7\frac{1}{5}\div9\times5$

$=\frac{36}{5}\div9\times5=\frac{36\div9}{5}\times5=\frac{4}{5}\times5=4$

4 예 가장 큰 평행사변형의 넓이는

$2\frac{2}{3}\times1\frac{4}{5}=\frac{8}{3}\times\frac{9}{5}=\frac{24}{5}=4\frac{4}{5}$(m^2)입니다. ❶

따라서 색칠한 부분의 넓이는

$4\frac{4}{5}\div6\div4=\frac{24}{5}\div6\div4$

$=\frac{24\div6}{5}\div4=\frac{4}{5}\div4$

$=\frac{4\div4}{5}=\frac{1}{5}$(m^2)입니다. ❷

채점 기준
❶ 가장 큰 평행사변형의 넓이 구하기
❷ 색칠한 부분의 넓이 구하기

5 (음료수 병 12개의 무게)

$=12\frac{7}{10}-\frac{1}{5}=12\frac{7}{10}-\frac{2}{10}$

$=12\frac{5}{10}=12\frac{1}{2}$(kg)

(음료수 병 한 개의 무게)

$=12\frac{1}{2}\div12=\frac{25}{2}\times\frac{1}{12}=\frac{25}{24}=1\frac{1}{24}$(kg)

$\Rightarrow$ (음료수 병 16개의 무게)

$=1\frac{1}{24}\times16=\frac{25}{24}\times16=\frac{50}{3}=16\frac{2}{3}$(kg)

6 예 영후가 가진 밀가루 반죽의 무게를 □ kg이라 하면 재인이가 가진 밀가루 반죽의 무게는

$\left(□+\frac{1}{4}\right)$kg이고 $□+\left(□+\frac{1}{4}\right)=5\frac{1}{3}$입니다. ❶

$□+\left(□+\frac{1}{4}\right)=5\frac{1}{3}$에서 $□+□=5\frac{1}{12}$,

$□=5\frac{1}{12}\div2=\frac{61}{12}\times\frac{1}{2}=\frac{61}{24}=2\frac{13}{24}$이므로

영후가 가진 밀가루 반죽의 무게는 $2\frac{13}{24}$ kg입니다. ❷

채점 기준
❶ 문제에 알맞은 식 만들기
❷ 영후가 가진 밀가루 반죽의 무게 구하기

7 겹쳐진 부분은 $13-1=12$(군데)이고, 색 테이프 한 장의 길이를 □ cm라 하면

$□\times13-\frac{2}{3}\times12=85\frac{3}{5}$입니다.

$□\times13-8=85\frac{3}{5}$, $□\times13=93\frac{3}{5}$

$\Rightarrow □=93\frac{3}{5}\div13=\frac{468}{5}\div13$

$=\frac{468\div13}{5}=\frac{36}{5}=7\frac{1}{5}$

8 전체 일의 양을 1이라 하면

(태오가 하루 동안 하는 일의 양)

$$=\frac{1}{3}\div4=\frac{1}{3}\times\frac{1}{4}=\frac{1}{12},$$

(유하가 하루 동안 하는 일의 양)

$$=\frac{3}{4}\div3=\frac{3\div3}{4}=\frac{1}{4}$$ 입니다.

(두 사람이 함께 하루 동안 하는 일의 양)

$$=\frac{1}{12}+\frac{1}{4}=\frac{4}{12}=\frac{1}{3}$$

따라서 두 사람이 함께 일을 한다면 일을 모두 마치는 데 3일이 걸립니다.

9 색칠한 부분의 둘레는 색칠한 부분의 가로의 8배이므로

(색칠한 부분의 가로)

$$=8\frac{8}{15}\div8=\frac{128}{15}\div8=\frac{16}{15}=1\frac{1}{15}\text{(cm)}$$ 입니다.

(정사각형의 한 변)

$$=1\frac{1}{5}\times3=\frac{16}{15}\times3=\frac{16}{5}=3\frac{1}{5}\text{(cm)}$$

⇨ (정사각형의 둘레)

$$=3\frac{1}{5}\times4=\frac{16}{5}\times4=\frac{64}{5}=12\frac{4}{5}\text{(cm)}$$

10 두 직선 가와 나가 서로 평행하므로 사다리꼴과 평행사변형의 높이는 두 직선 가와 나 사이의 거리와 같습니다.

두 직선 사이의 거리를 □ cm라 하면

$$(3+7)\times\square\div2+8\times\square=68,$$

$$5\times\square+8\times\square=68,\ 13\times\square=68,$$

$$\square=68\div13=\frac{68}{13}=5\frac{3}{13}$$ 입니다.

따라서 두 직선 사이의 거리는 $5\frac{3}{13}$ cm입니다.

⇨ (평행사변형의 넓이)$$=8\times5\frac{3}{13}=8\times\frac{68}{13}$$

$$=\frac{544}{13}=41\frac{11}{13}\text{(cm}^2)$$

11 • (초급 슬로프의 경사도)

$$=60\div500=\frac{60}{500}=\frac{3}{25}$$

• (상급 슬로프의 경사도)

$$=168\div525=\frac{168}{525}=\frac{8}{25}$$

⇨ $$\frac{8}{25}-\frac{3}{25}=\frac{5}{25}=\frac{1}{5}$$

12 직사각형의 가로를 □ m라 하면

$$\left(\square+\frac{3}{10}\right)\times2=1\frac{3}{5},$$

$$\square+\frac{3}{10}=1\frac{3}{5}\div2=\frac{8}{5}\div2$$

$$=\frac{8\div2}{5}=\frac{4}{5},$$

$$\square=\frac{4}{5}-\frac{3}{10}=\frac{1}{2}$$ 입니다.

따라서 직사각형의 넓이는

$$\frac{1}{2}\times\frac{3}{10}=\frac{3}{20}\text{(m}^2)$$ 입니다.

최상위권 문제 | 22~23쪽

1 $\frac{1}{8}$ km **2** $\frac{5}{54}$

3 $\frac{2}{5}$

4 $3\frac{7}{12}$ cm $\left(=\frac{43}{12}\ \text{cm}\right)$

5 $18\frac{2}{7}$ cm^2 $\left(=\frac{128}{7}\ \text{cm}^2\right)$

6 17분 20초

1 비법 PLUS 먼저 두 사람이 각각 1분 동안 가는 거리를 구합니다.

(혜미가 1분 동안 가는 거리)

$$=\frac{5}{6}\div12=\frac{5}{6}\times\frac{1}{12}=\frac{5}{72}\text{(km)}$$

(현우가 1분 동안 가는 거리)

$$=\frac{1}{3}\div4=\frac{1}{3}\times\frac{1}{4}=\frac{1}{12}\text{(km)}$$

두 사람이 서로 같은 방향으로 가므로 출발한 지 1분 후 두 사람 사이의 거리는 두 사람이 1분 동안 가는 거리의 차와 같습니다.

(두 사람이 1분 동안 가는 거리의 차)

$$=\frac{1}{12}-\frac{5}{72}=\frac{6}{72}-\frac{5}{72}=\frac{1}{72}\text{(km)}$$

⇨ (출발한 지 9분 후 두 사람 사이의 거리)

$$=\frac{1}{72}\times9=\frac{1}{8}\text{(km)}$$

2 비법 PLUS⁺ 식에 주어진 분수의 분모를 연속한 두 자연수의 곱으로 나타내어 계산합니다.

$$\left(\frac{1}{2}+\frac{1}{6}+\frac{1}{12}+\frac{1}{20}+\frac{1}{30}\right)\div 9$$

$$=\left(\frac{1}{1\times2}+\frac{1}{2\times3}+\frac{1}{3\times4}+\frac{1}{4\times5}+\frac{1}{5\times6}\right)$$
$$\div 9$$

$$=\left(1-\frac{1}{2}+\frac{1}{2}-\frac{1}{3}+\frac{1}{3}-\frac{1}{4}+\frac{1}{4}-\frac{1}{5}\right.$$
$$\left.+\frac{1}{5}-\frac{1}{6}\right)\div 9$$

$$=\left(1-\frac{1}{6}\right)\div 9=\frac{5}{6}\div 9$$

$$=\frac{5}{6}\times\frac{1}{9}=\frac{5}{54}$$

3 $\frac{4}{7}\times5\div3=\frac{20}{7}\div3=\frac{20}{7}\times\frac{1}{3}=\frac{20}{21}$,

$\frac{5}{9}\times8\div10=\frac{40}{9}\div10=\frac{40\div10}{9}=\frac{4}{9}$,

$1\frac{3}{8}\times4\div11=\frac{11}{8}\times4\div11$
$$=\frac{11}{2}\div11=\frac{11\div11}{2}=\frac{1}{2}$$

이므로 가장 위에 있는 수와 왼쪽 수를 곱한 다음 오른쪽 수로 나누면 가운데 수가 되는 규칙입니다.

$$\Rightarrow ㉠=1\frac{2}{5}\times2\div7=\frac{7}{5}\times2\div7$$
$$=\frac{14}{5}\div7=\frac{14\div7}{5}=\frac{2}{5}$$

4 (직사각형 ㄱㄴㄷㄹ의 넓이)
$$=7\frac{1}{6}\times6=\frac{43}{6}\times6=43(\text{cm}^2)$$

사다리꼴 ㄱㄴㅁㄹ의 넓이가 삼각형 ㄹㅁㄷ의 넓이의 3배이므로 직사각형 ㄱㄴㄷㄹ의 넓이는 삼각형 ㄹㅁㄷ의 넓이의 4배와 같습니다.

(삼각형 ㄹㅁㄷ의 넓이)
$$=43\div4=\frac{43}{4}=10\frac{3}{4}(\text{cm}^2)$$

선분 ㅁㄷ의 길이를 □ cm라 하면

$□\times6\div2=10\frac{3}{4}$입니다.

$$\Rightarrow □=10\frac{3}{4}\times2\div6=\frac{43}{4}\times2\div6$$
$$=\frac{43}{2}\div6=\frac{43}{2}\times\frac{1}{6}=\frac{43}{12}=3\frac{7}{12}$$

5 비법 PLUS⁺ 색종이를 붙인 부분의 넓이는 겹쳐진 부분의 넓이의 몇 배인지 알아봅니다.

겹쳐진 부분의 넓이를 □ cm²라 하면 색종이 한 장의 넓이는 (□×4) cm²입니다.

(색종이를 붙인 부분의 넓이)
$$=□\times4+□\times4-□=□\times7=32(\text{cm}^2),$$

$$□=32\div7=\frac{32}{7}=4\frac{4}{7}$$

⇨ (색종이 한 장의 넓이)
$$=4\frac{4}{7}\times4=\frac{32}{7}\times4$$
$$=\frac{128}{7}=18\frac{2}{7}(\text{cm}^2)$$

6 비법 PLUS⁺ 먼저 수조의 들이는 몇 L인지 구합니다.

㉮ 수도와 ㉯ 수도를 동시에 틀어 1분 동안 받을 수 있는 물의 양은 $3\frac{1}{3}+4=7\frac{1}{3}(\text{L})$입니다.

$7\frac{1}{3}$ L씩 24분 동안 물을 채우면 빈 수조에 물이 가득 차므로 수조의 들이는

$7\frac{1}{3}\times24=\frac{22}{3}\times24=176(\text{L})$입니다.

㉯ 수도를 튼 지 □분 만에 고장 났다고 하면

$$3\frac{1}{3}\times32+4\times□=176,$$

$$\frac{10}{3}\times32+4\times□=176,$$

$$\frac{320}{3}+4\times□=176,$$

$$106\frac{2}{3}+4\times□=176,$$

$$4\times□=69\frac{1}{3},$$

$$□=69\frac{1}{3}\div4=\frac{208}{3}\div4$$
$$=\frac{208\div4}{3}=\frac{52}{3}=17\frac{1}{3}$$입니다.

$17\frac{1}{3}$분$=17\frac{20}{60}$분$=17$분 20초이므로 ㉯ 수도는 튼 지 17분 20초 만에 고장 났습니다.

❷ 각기둥과 각뿔

1 ②   **2** 16, 10, 24

3 (왼쪽에서부터) 6, 5, 3, 8

4 예
1 cm
1 cm

5 구각기둥   **6** 7 cm

1 ② 옆면은 모두 직사각형이지만 합동이 아닐 수도
있습니다.

2 팔각기둥의 한 밑면의 변의 수는 8개입니다.
(꼭짓점의 수)=8×2=16(개)
(면의 수)=8+2=10(개)
(모서리의 수)=8×3=24(개)

5 (한 밑면의 변의 수)×3=27,
(한 밑면의 변의 수)=27÷3=9(개)
따라서 밑면의 모양이 구각형인 각기둥이므로
구각기둥입니다.

6 (육각기둥의 모서리의 수)=6×3=18(개)
➡ (한 모서리의 길이)=126÷18=7(cm)

1 ㉢, ㉣

2 예 옆면이 모두 삼각형이 아니고 사각형이므로
각뿔이 아닙니다.

3 16   **4** ㉠, ㉣

5 십이각뿔   **6** 96 cm

1 ㉠ 밑면은 1개입니다.
㉡ 옆면은 모두 삼각형이지만 합동이 아닐 수도 있습
니다.

3 오각뿔의 밑면의 변의 수는 5개입니다.
(오각뿔의 꼭짓점의 수)=5+1=6(개)
(오각뿔의 모서리의 수)=5×2=10(개)
➡ 6+10=16(개)

4

도형	밑면의 모양	옆면의 모양	밑면의 수(개)	옆면의 수(개)
가	육각형	직사각형	2	6
나	육각형	삼각형	1	6

5 (밑면의 변의 수)+1=13,
(밑면의 변의 수)=13-1=12(개)
따라서 밑면의 모양이 십이각형인 각뿔이므로
십이각뿔입니다.

6 옆면이 8개인 각뿔은 팔각뿔입니다.
(모든 모서리의 길이의 합)
=3×8+9×8=24+72=96(cm)

유형 ❶ (1) 5개 (2) 25개

유제 **1** 10개   유제 **2** 18개

유형 ❷ (1) 4개 (2) 13개

유제 **3** 16개   유제 **4** 풀이 참조, 9개

유형 ❸ (1) 21 cm (2) 82 cm

유제 **5** 52 cm   유제 **6** 풀이 참조, 156 cm

유형 ❹ (1) 12 cm (2) 6 cm

유제 **7** 8 cm   유제 **8** 15 cm

유형 ❺ (1) 삼각기둥, 사각기둥 (2) 21개

유제 **9** 11개   유제 **10** 2개

유형 ❻ (1)   (2)

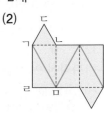

유제 **11**

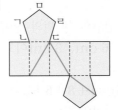

유제 **12**

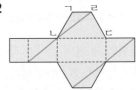

유형 ① (1) (한 밑면의 변의 수)+2=7,
(한 밑면의 변의 수)=7-2=5(개)
(2) (꼭짓점의 수)=5×2=10(개),
(모서리의 수)=5×3=15(개)
⇨ 10+15=25(개)

유제 1 (한 밑면의 변의 수)×2=12,
(한 밑면의 변의 수)=12÷2=6(개)
(모서리의 수)=6×3=18(개),
(면의 수)=6+2=8(개)
⇨ 18-8=10(개)

유제 2 각기둥의 한 밑면의 변을 ▢개라 하면
▢+2+▢×3=38, ▢×4=36, ▢=9입니다.
⇨ (꼭짓점의 수)=9×2=18(개)

유형 ② (1) (밑면의 변의 수)+1=5,
(밑면의 변의 수)=5-1=4(개)
(2) (면의 수)=4+1=5(개),
(모서리의 수)=4×2=8(개)
⇨ 5+8=13(개)

유제 3 (밑면의 변의 수)×2=14,
(밑면의 변의 수)=14÷2=7(개)
(꼭짓점의 수)=7+1=8(개),
(면의 수)=7+1=8(개)
⇨ 8+8=16(개)

유제 4 ⑩ 각뿔의 밑면의 변을 ▢개라 하면
▢+1+▢×2=25, ▢×3=24, ▢=8입니다.」❶
따라서 이 각뿔의 면은 8+1=9(개)입니다.」❷

채점 기준
❶ 각뿔의 밑면의 변의 수 구하기
❷ 각뿔의 면의 수 구하기

유형 ③ (1) 사각기둥의 한 밑면의 네 변의 길이가 각각
4 cm, 8 cm, 6 cm, 3 cm이고 높이는
10 cm입니다.
(한 밑면의 둘레)=4+8+6+3=21(cm)
(2) (모든 모서리의 길이의 합)
=21×2+10×4=42+40=82(cm)

유제 5 삼각기둥의 한 밑면의 세 변의 길이가 각각 5 cm,
5 cm, 4 cm이고 높이는 8 cm입니다.
(한 밑면의 둘레)=5+5+4=14(cm)

⇨ (모든 모서리의 길이의 합)
=14×2+8×3=28+24=52(cm)

유제 6 ⑩ 육각기둥의 한 밑면은 한 변의 길이가 7 cm
인 정육각형이고 높이는 12 cm이므로 한 밑면
의 둘레는 7×6=42(cm)입니다.」❶
따라서 육각기둥의 모든 모서리의 길이의 합은
42×2+12×6=84+72=156(cm)입니다.」❷

채점 기준
❶ 육각기둥의 한 밑면의 둘레 구하기
❷ 육각기둥의 모든 모서리의 길이의 합 구하기

유형 ④

(1) (선분 ㄱㄹ)=5+4+3=12(cm)
(2) 직사각형 ㄱㄴㄷㄹ의 넓이가 72 cm²이므로
(선분 ㄱㄴ)=72÷12=6(cm)입니다.

유제 7

(선분 ㄱㄹ)=4+7+4+7=22(cm)
⇨ (선분 ㄹㄷ)=176÷22=8(cm)

유제 8

(선분 ㄱㄹ)=5+9+4+6=24(cm)
⇨ (선분 ㄱㄴ)=360÷24=15(cm)

유형 ⑤ (1) 밑면이 삼각형과 사각형으로 나누어지므로
삼각기둥과 사각기둥이 생깁니다.
(2) (삼각기둥의 모서리의 수)=3×3=9(개),
(사각기둥의 모서리의 수)=4×3=12(개)
⇨ 9+12=21(개)

유제 **9** 밑면이 사각형과 삼각형으로 나누어지므로 사각기둥과 삼각기둥이 생깁니다.
(사각기둥의 면의 수)=4+2=6(개),
(삼각기둥의 면의 수)=3+2=5(개)
➡ 6+5=11(개)

유제 **10** 밑면이 오각형과 사각형으로 나누어지므로 오각기둥과 사각기둥이 생깁니다.
(오각기둥의 꼭짓점의 수)=5×2=10(개),
(사각기둥의 꼭짓점의 수)=4×2=8(개)
➡ 10-8=2(개)

유형 **6** (2) 선분 ㄱㅁ, 선분 ㅁㄷ, 선분 ㄷㄹ을 찾아 차례로 선을 긋습니다.

유제 **11**

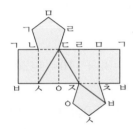

각기둥의 전개도에 각기둥의 꼭짓점을 모두 표시한 후 선분 ㅅㄷ, 선분 ㄷㅈ, 선분 ㅈㅂ을 찾아 차례로 선을 긋습니다.

유제 **12**

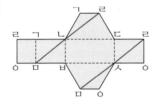

각기둥의 전개도에 각기둥의 꼭짓점을 모두 표시한 후 선분 ㄴㄹ, 선분 ㄹㅅ, 선분 ㅅㅁ, 선분 ㅁㄴ을 찾아 차례로 선을 긋습니다.

상위권 문제 확인과 응용　36~39쪽

1 5 cm	**2** 24개
3 32 cm	**4** 100 cm
5 풀이 참조, 십각기둥	**6** 22개
7 51 cm	**8** 74개
9 풀이 참조, 45개	**10** 189 cm
11 16개	**12** 19 cm

1 밑면의 한 변의 길이를 □ cm라 하면
□×4+6×4=44, □×4=20, □=5입니다.

2 • 모서리가 24개인 각뿔의 밑면의 변을 □개라 하면
□×2=24, □=12이므로
꼭짓점은 12+1=13(개)입니다.
• 면이 11개인 각뿔의 꼭짓점은 11개입니다.
➡ 13+11=24(개)
참고 각뿔에서 꼭지점의 수와 면의 수는 같습니다.

3 면 ㉯의 넓이가 132 cm²이므로
(선분 ㅎㅋ)=132÷12=11(cm)입니다.
면 ㉮의 넓이가 55 cm²이므로
(선분 ㅌㅋ)=55÷11=5(cm)입니다.
➡ (선분 ㄱㅈ)=5+11+5+11=32(cm)

4 길이가 8 cm인 모서리와 길이가 같은 부분은 4군데, 7 cm인 모서리와 길이가 같은 부분은 4군데, 10 cm인 모서리와 길이가 같은 부분은 4군데입니다.
따라서 필요한 끈의 길이는 적어도
8×4+7×4+10×4=32+28+40=100(cm)
입니다.

5 예 각기둥의 한 밑면의 변을 □개라 하면
□×2+□+2+□×3=62, □×6=60,
□=10입니다. ❶
따라서 이 각기둥은 밑면의 모양이 십각형이므로 십각기둥입니다. ❷

채점 기준
❶ 각기둥의 한 밑면의 변의 수 구하기
❷ 각기둥의 이름 구하기

6 각뿔의 밑면의 변을 □개라 하면
5×□+7×□=84, 12×□=84, □=7입니다.
(꼭짓점의 수)=7+1=8(개),
(모서리의 수)=7×2=14(개)
➡ 8+14=22(개)

7 ㉮ 모양 2장, ㉯ 모양 2장, ㉰ 모양 1장을 모두 사용하여 오른쪽 그림과 같이 ㉮를 밑면으로 하고 높이가 5 cm인 삼각기둥을 만들 수 있습니다.

➡ (모든 모서리의 길이의 합)
=(8+5+5)×2+5×3=36+15=51(cm)

8 각뿔의 밑면의 변을 □개라 하면
□+1+□×2=37, □×3=36, □=12이므로
이 각뿔의 밑면의 모양은 십이각형입니다.

따라서 밑면의 모양이 십이각형인 각기둥의 꼭짓점, 면, 모서리의 수의 합은
$12 \times 2 + (12+2) + 12 \times 3$
$= 24 + 14 + 36 = 74$(개)입니다.

9 예 밑면을 모양과 크기가 같은 도형 5개로 나누어 보면 삼각형 5개이므로 밑면에 수직으로 잘라 생기는 각기둥은 삼각기둥입니다. ❶
따라서 삼각기둥의 모서리는 $3 \times 3 = 9$(개)이므로 삼각기둥 5개의 모서리의 수의 합은 $9 \times 5 = 45$(개)입니다. ❷

채점 기준
❶ 생기는 각기둥 구하기
❷ 생기는 각기둥의 모서리의 수의 합 구하기

10 옆면이 모두 직사각형인 입체도형은 각기둥입니다.
꼭짓점이 14개인 각기둥의 한 밑면의 변은
$14 \div 2 = 7$(개)이므로 이 입체도형은 칠각기둥입니다.
⇒ (모든 모서리의 길이의 합)
　　$= 6 \times 7 \times 2 + 15 \times 7 = 84 + 105 = 189$(cm)

11 사각기둥의 꼭짓점은 $4 \times 2 = 8$(개)이고 삼각뿔 모양만큼 한 번 자를 때마다 꼭짓점은 2개씩 늘어납니다.
따라서 입체도형의 꼭짓점은 $8 + 2 \times 4 = 16$(개)입니다.

12 밑면의 한 변의 길이를 □cm라 하면
$\square \times 8 \times 2 + 143.5 \times 8 = 1452$,
$\square \times 16 + 1148 = 1452$, $\square \times 16 = 304$,
$\square = 19$입니다.

최상위권 문제	**40~41쪽**

1 16개	**2** 87개
3 142 cm	**4** 십각뿔
5 126 cm	**6** 6 cm

1 비법 PLUS 각기둥과 각뿔 중 모서리의 수가 밑면의 변의 수의 2배인 입체도형을 알아봅니다.

모서리의 수가 밑면의 변의 수의 2배인 입체도형은 각뿔입니다.
각뿔의 밑면의 변을 □개라 하면
$\square + 1 + \square \times 2 = 46$, $\square \times 3 = 45$, $\square = 15$입니다.
따라서 입체도형의 면은 $15 + 1 = 16$(개)입니다.

2 비법 PLUS 세 각기둥의 한 밑면의 변의 수를 각각 구할 수 없으므로 세 각기둥의 한 밑면의 변의 수의 합을 구한 다음 세 각기둥의 모서리의 수의 합을 구합니다.

세 각기둥의 한 밑면의 변의 수의 합을 □개라 하면
$\square \times 2 = 58$, $\square = 29$입니다.
따라서 세 각기둥의 모서리의 수의 합은
$29 \times 3 = 87$(개)입니다.

3 전개도의 둘레가 가장 길게 되도록 만들려면 길이가 긴 모서리부터 잘라서 오른쪽 그림과 같이 만들어야 합니다.

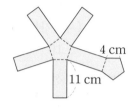

전개도의 둘레에는 길이가 4 cm인 선분이 8개, 11 cm인 선분이 10개 있습니다.
⇒ (전개도의 둘레)
　　$= 4 \times 8 + 11 \times 10 = 32 + 110 = 142$(cm)

4 한 밑면의 변을 □개라 하면
• (각기둥에서 꼭짓점, 면, 모서리의 수의 합)
　$= \square \times 2 + \square + 2 + \square \times 3 = \square \times 6 + 2$
• (각뿔에서 꼭짓점, 면, 모서리의 수의 합)
　$= \square + 1 + \square + 1 + \square \times 2 = \square \times 4 + 2$
$(\square \times 6 + 2) - (\square \times 4 + 2) = 20$, $\square \times 2 = 20$,
$\square = 10$
따라서 밑면의 모양이 십각형인 각뿔이므로 십각뿔입니다.

5 비법 PLUS

각기둥의 옆면의 넓이의 합	=	각기둥을 한 바퀴 굴렸을 때 바닥에 색칠된 부분의 넓이

(칠각기둥의 옆면의 넓이의 합)
$= 756 \div 3 = 252$(cm^2)
(칠각기둥의 한 밑면의 둘레) $= 252 \div 12 = 21$(cm)
⇒ (모든 모서리의 길이의 합)
　　$= 21 \times 2 + 12 \times 7 = 42 + 84 = 126$(cm)

6 가장 짧게 그은 선은 오른쪽 그림과 같이 옆면의 전개도에서 점 ㄱ과 점 ㄹ을 직선으로 이은 선분입니다.

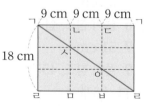

따라서 선분 ㅇㅂ의 길이는 높이 18 cm의 $\frac{1}{3}$이므로 $18 \times \frac{1}{3} = 6$(cm)입니다.

❸ 소수의 나눗셈

핵심 개념과 문제 　　　　　　45쪽

1 <　　　　　　　　**2** 100배

3
```
     0. 2 3
  7 ) 1. 6 1
      1 4
        2 1
        2 1
          0
```

4 0.92 kg

5 8.37 cm

6 2.38배

1 17.85÷7=2.55, 13.65÷5=2.73
➡ 2.55<2.73

3 나누어지는 수 1.61에서 자연수 부분 1은 7보다 작으므로 몫의 일의 자리에 0을 쓰고 6을 내려 계산해야 합니다.

4 (신발 한 켤레의 무게)=6.44÷7=0.92(kg)

5 (만든 마름모의 한 변)=33.48÷4=8.37(cm)

6 (민서가 그린 삼각형의 넓이)=3×4÷2=6(cm²)
(하린이가 그린 삼각형의 넓이)=7.14×4÷2
　　　　　　　　　　　　　　=14.28(cm²)
따라서 하린이가 그린 삼각형의 넓이는 민서가 그린 삼각형의 넓이의 14.28÷6=2.38(배)입니다.

핵심 개념과 문제 　　　　　　47쪽

1 16.2, 4.05　　　　　**2** 2.82÷6=0.47

3 ㉡, ㉣, ㉠, ㉢　　　**4** 19.05 km

5 22.85 g　　　　　　**6** 4개

1 ・81÷5=16.2　　　・16.2÷4=4.05

2 2.82를 소수 첫째 자리에서 반올림하면 3입니다.
3÷6의 몫은 0보다 크고 1보다 작은 수이므로
2.82÷6=0.47입니다.

3 ㉠ 25.3÷5=5.06　　　㉡ 48.3÷6=8.05
㉢ 15÷4=3.75　　　　㉣ 50÷8=6.25
➡ 8.05>6.25>5.06>3.75

4 (자동차가 휘발유 1 L로 갈 수 있는 거리)
　=38.1÷2=19.05(km)

5 (한 명이 먹은 딸기의 양)=91.4÷4=22.85(g)

6 26÷8=3.25, 30÷4=7.5
따라서 3.25<□<7.5이므로 □ 안에 들어갈 수 있는 자연수는 4, 5, 6, 7로 모두 4개입니다.

상위권 문제 　　　　　　48~55쪽

유형❶ (1) 1.61　(2) 0.23

유제 1　1.15　　　　　유제 2　풀이 참조, 0.49

유형❷ (1) 25 cm²　(2) 11 cm²　(3) 4.4 cm

유제 3　4.25 cm　　　유제 4　8.32 cm

유형❸ (1) 9, 7, 4, 2　(2) 4.87

유제 5　2, 5, 6, 8 / 0.32

유제 6　8, 7, 4 / 21.75

유형❹ (1) 42.3 g　(2) 8.46 g　(3) 76.14 g

유제 7　34.75 g　　　유제 8　0.33 kg

유형❺ (1) 10그루　(2) 9군데　(3) 7.03 m

유제 9　6.77 m　　　유제 10　3.67 m

유형❻ (1) 0.65시간　(2) 32.5 km　(3) 16.25 km

유제 11　58.05 km　　유제 12　풀이 참조, 66.15 m

유형❼ (1) 3.24분　(2) 16.2분
　　　(3) 오전 9시 16분 12초

유제 13　오후 2시 32분 33초

유제 14　0.88시간

유형❽ (1) 풀이 참조　(2) 3.5

유제 15　2.68　　　　유제 16　4.5

유형❶ (1) 어떤 소수를 □라 하면 □×7=11.27입니다.
　　　➡ □=11.27÷7=1.61
(2) 어떤 소수는 1.61이므로 바르게 계산하면
　　1.61÷7=0.23입니다.

유제 1　어떤 소수를 □라 하면 □×8=73.6입니다.
➡ □=73.6÷8=9.2
따라서 바르게 계산하면 9.2÷8=1.15입니다.

유제 2　예 어떤 소수를 □라 하면 □÷7=0.63이므로
□=0.63×7=4.41입니다.❶
따라서 바르게 계산하면 4.41÷9=0.49입니다.❷

채점 기준
❶ 어떤 소수 구하기
❷ 바르게 계산한 값 구하기

유형 2 (1) (정사각형의 넓이)$=5 \times 5 = 25(cm^2)$
(2) (삼각형의 넓이)$=36 - 25 = 11(cm^2)$
(3) (삼각형의 높이)
$=$(삼각형의 넓이)$\times 2 \div$(밑변의 길이)
$=11 \times 2 \div 5 = 22 \div 5 = 4.4(cm)$

유제 3 (정사각형의 넓이)$=8 \times 8 = 64(cm^2)$
(삼각형 1개의 넓이)$=(98 - 64) \div 2 = 34 \div 2$
$= 17(cm^2)$
$\Rightarrow$ (삼각형의 높이)$=17 \times 2 \div 8$
$= 34 \div 8 = 4.25(cm)$

유제 4 (직사각형 ㄱㄴㄷㄹ의 넓이)$=10.4 \times 6$
$= 62.4(cm^2)$
(삼각형 ㄹㅁㄷ의 넓이)$=62.4 \times 0.4$
$= 24.96(cm^2)$
$\Rightarrow$ (선분 ㅁㄷ)$=24.96 \times 2 \div 6$
$= 49.92 \div 6 = 8.32(cm)$

유형 3 (1) 나누어지는 수가 클수록, 나누는 수가 작을수록 나눗셈의 몫은 커집니다. $2<4<7<9$이므로 몫이 가장 큰 나눗셈식은 $9.74 \div 2$입니다.
(2) $9.74 \div 2 = 4.87$

유제 5 나누어지는 수가 작을수록, 나누는 수가 클수록 나눗셈의 몫은 작아집니다. $2<5<6<8$이므로 몫이 가장 작은 나눗셈식은 $2.56 \div 8$입니다.
$\Rightarrow 2.56 \div 8 = 0.32$

유제 6 나누어지는 수가 클수록, 나누는 수가 작을수록 나눗셈의 몫은 커집니다. $4<6<7<8$이므로 몫이 가장 큰 나눗셈식은 $87 \div 4$입니다.
$\Rightarrow 87 \div 4 = 21.75$

유형 4 (1) (젤리 5개의 무게)$=155.36 - 113.06$
$= 42.3(g)$
(2) (젤리 1개의 무게)$=42.3 \div 5 = 8.46(g)$
(3) (젤리 9개의 무게)$=8.46 \times 9 = 76.14(g)$

유제 7 (연필 3자루의 무게)$=142.8 - 121.95$
$= 20.85(g)$
(연필 1자루의 무게)$=20.85 \div 3 = 6.95(g)$
$\Rightarrow$ (연필 5자루의 무게)$=6.95 \times 5 = 34.75(g)$

유제 8 (책 7권의 무게)$=22.73 - 14.89 = 7.84(kg)$
(책 1권의 무게)$=7.84 \div 7 = 1.12(kg)$
(책 20권의 무게)$=1.12 \times 20 = 22.4(kg)$
$\Rightarrow$ (빈 상자의 무게)$=22.73 - 22.4$
$= 0.33(kg)$

유형 5 (1) (도로의 한쪽에 심어야 할 나무의 수)
$=20 \div 2 = 10$(그루)
(2) 도로의 한쪽에 심어야 할 나무의 수가 10그루이므로 나무 사이의 간격은
$10 - 1 = 9$(군데)입니다.
(3) (나무 사이의 간격)$=63.27 \div 9 = 7.03(m)$

유제 9 (도로 한쪽에 심어야 할 나무의 수)
$=18 \div 2 = 9$(그루)
(나무 사이의 간격의 수)$=9 - 1 = 8$(군데)
$\Rightarrow$ (나무 사이의 간격)$=54.16 \div 8 = 6.77(m)$

유제 10 (나무 사이의 간격의 수)$=$(나무의 수)$=7$군데
$\Rightarrow$ (나무 사이의 간격)$=25.69 \div 7 = 3.67(m)$

유형 6 (1) 39분$= \dfrac{39}{60}$시간$= \dfrac{13}{20}$시간$=0.65$시간
(2) (자동차로 39분 동안 간 거리)
$=50 \times 0.65 = 32.5(km)$
(3) (자전거로 한 시간 동안 가는 거리)
$=32.5 \div 2 = 16.25(km)$

유제 11 2시간 42분$=2\dfrac{42}{60}$시간$=2\dfrac{7}{10}$시간$=2.7$시간
(자동차로 2시간 42분 동안 간 거리)
$=86 \times 2.7 = 232.2(km)$
$\Rightarrow$ (버스로 한 시간 동안 가는 거리)
$=232.2 \div 4 = 58.05(km)$

유제 12 예 7분 21초$=7\dfrac{21}{60}$분$=7.35$분입니다. ❶
영준이는 1분에 72 m를 가는 빠르기로 걸으므로 공원의 둘레는 $72 \times 7.35 = 529.2(m)$입니다. ❷
따라서 효선이가 1분 동안 걸은 거리는
$529.2 \div 8 = 66.15(m)$입니다. ❸

채점 기준
❶ 7분 21초는 몇 분인지 구하기
❷ 공원의 둘레 구하기
❸ 효선이가 1분 동안 걸은 거리 구하기

유형 7 (1) 일주일은 7일입니다.
(하루 동안 빨라지는 시간)$=22.68 \div 7$
$= 3.24$(분)
(2) (5일 동안 빨라지는 시간)$=3.24 \times 5$
$= 16.2$(분)
(3) 0.2분 $\rightarrow 60 \times 0.2 = 12$(초)
5일 후 오전 9시에 하니의 시계가 가리키는 시각은
오전 9시$+$16분 12초$=$오전 9시 16분 12초입니다.

유제 13 (하루 동안 늦어지는 시간)

$=24.4 \div 8=3.05$(분)

(9일 동안 늦어지는 시간)

$=3.05 \times 9=27.45$(분)

0.45분 → $60 \times 0.45=27$(초)

따라서 9일 후 오후 3시에 도우의 시계가 가리키는 시각은

오후 3시 -27분 27초 $=$ 오후 2시 32분 33초입니다.

유제 14 (장희의 시계가 1주일 동안 늦어지는 시간)

$=1.25 \div 5=0.25$(시간)

(수아의 시계가 1주일 동안 빨라지는 시간)

$=1.14 \div 6=0.19$(시간)

따라서 2주일 후 오후 1시에 장희와 수아의 시계가 각각 가리키는 시각의 차는

$(0.25+0.19) \times 2=0.44 \times 2=0.88$(시간)입니다.

유형 ⑧ (1) 예 $(9+5) \div 5=14 \div 5=2.8$,

$\qquad (11+2) \div 2=13 \div 2=6.5$,

$\qquad (10+8) \div 8=18 \div 8=2.25$이므로 위의 두 수의 합을 오른쪽 수로 나누면 아래 수가 되는 규칙입니다.

(2) $(15+6) \div 6=21 \div 6=3.5$

유제 15 $9 \div 5=1.8$, $2.15 \div 5=0.43$, $16 \div 5=3.2$이므로 위의 수를 5로 나누면 아래 수가 되는 규칙입니다. ⇨ $13.4 \div 5=2.68$

유제 16 $(48-6) \div 8=42 \div 8=5.25$,

$(82-30) \div 8=52 \div 8=6.5$,

$(24-2) \div 8=22 \div 8=2.75$이므로 위의 두 수의 차를 8로 나누면 아래 수가 되는 규칙입니다.

⇨ $(40-4) \div 8=36 \div 8=4.5$

상위권 문제 확인과 응용 56~59쪽

1 0.18 kg		**2** 32.84	
3 158.76 cm^2		**4** 풀이 참조, 8.75	
5 풀이 참조, 8.98 kg		**6** 66.35 km	
7 9.35		**8** 13.5 cm	
9 1.82 cm		**10** 4.25 cm^2	
11 삼순이, 0.05 kg		**12** 1시간 5분 21초	

1 (멜론 1개의 무게) $=8.1 \div 5=1.62$(kg)

(참외 1개의 무게) $=1.62 \div 9=0.18$(kg)

---

2 19.97과 50 사이를 똑같이 7칸으로 나누었으므로 수직선의 눈금 한 칸의 크기는

$(50-19.97) \div 7=30.03 \div 7=4.29$입니다.

□ 안에 알맞은 수는 19.97에서 3칸 더 간 수입니다.

⇨ □ $=19.97+4.29 \times 3$

$\qquad =19.97+12.87=32.84$

3 (큰 정사각형의 한 변) $=75.6 \div 4=18.9$(cm)

(가장 작은 정사각형의 한 변) $=18.9 \div 3$

$\qquad\qquad\qquad\qquad =6.3$(cm)

(가장 작은 정사각형의 넓이) $=6.3 \times 6.3$

$\qquad\qquad\qquad\qquad =39.69$(cm^2)

⇨ (색칠된 부분의 넓이)

$\qquad =$ (가장 작은 정사각형의 넓이) $\times 4$

$\qquad =39.69 \times 4=158.76$(cm^2)

4 예 몫이 가장 큰 때는

(가장 큰 두 자리 수) ÷ (가장 작은 한 자리 수)이므로

$65 \div 4=16.25$입니다. ❶

몫이 가장 작은 때는

(가장 작은 두 자리 수) ÷ (가장 큰 한 자리 수)이므로

$45 \div 6=7.5$입니다. ❷

따라서 몫이 가장 큰 때와 가장 작은 때의 몫의 차는

$16.25-7.5=8.75$입니다. ❸

채점 기준
❶ 몫이 가장 큰 때의 몫 구하기
❷ 몫이 가장 작은 때의 몫 구하기
❸ 몫이 가장 큰 때와 가장 작은 때의 몫의 차 구하기

5 예 도시락 3개의 무게는 $20.6-15.62=4.98$(kg)입니다. ❶

도시락 1개의 무게는 $4.98 \div 3=1.66$(kg)입니다. ❷

따라서 이 바구니에서 도시락 4개를 더 꺼냈을 때 바구니의 무게는

$15.62-1.66 \times 4=15.62-6.64$

$\qquad\qquad\qquad =8.98$(kg)입니다. ❸

채점 기준
❶ 도시락 3개의 무게 구하기
❷ 도시락 1개의 무게 구하기
❸ 바구니에서 도시락 4개를 더 꺼냈을 때 바구니의 무게 구하기

6 2시간 45분 $=2\dfrac{45}{60}$시간 $=2\dfrac{3}{4}$시간 $=2.75$시간

(지동이네 집에서 할머니 댁까지의 거리)

$=65 \times 2.75+20.3=178.75+20.3$

$=199.05$(km)

⇨ (자동차로 한 시간 동안 가는 거리)

$\qquad =199.05 \div 3=66.35$(km)

7 어떤 소수의 소수점을 오른쪽으로 한 칸 옮기면 처음 수의 10배가 됩니다.

바르게 계산한 몫을 □라 하면 소수점을 오른쪽으로 한 칸 옮겨 적은 몫은 $(10 \times \square)$입니다.

(잘못 옮겨 적은 몫)$-$(바르게 계산한 몫)
$=(10 \times \square) - \square = 9 \times \square = 84.15$

$\Rightarrow \square = 84.15 \div 9 = 9.35$

따라서 바르게 계산한 몫은 9.35입니다.

8 정사각형 ㄱㄴㄷㄹ의 넓이는 삼각형 ㅁㄴㄷ의 넓이의 2배이므로 $40.5 \times 2 = 81(cm^2)$입니다.

$9 \times 9 = 81$이므로 정사각형 ㄱㄴㄷㄹ의 한 변의 길이는 9 cm입니다.

(작은 정사각형의 한 변의 길이)$=9 \div 4 = 2.25(cm)$

따라서 빨간색 선의 길이는 작은 정사각형의 한 변의 길이의 6배이므로 $2.25 \times 6 = 13.5(cm)$입니다.

9 (겹쳐진 부분의 길이의 합)
$=$(색 테이프 8장의 길이의 합)
$\quad -$(이어 붙인 색 테이프의 전체 길이)
$=9.5 \times 8 - 63.26 = 76 - 63.26 = 12.74(cm)$

(겹쳐진 부분의 수)$=8 - 1 = 7$(군데)

따라서 색 테이프를 $12.74 \div 7 = 1.82(cm)$씩 겹치게 이어 붙였습니다.

10 처음 정사각형의 한 변을 □ cm라 하면
(처음 정사각형의 넓이)$=(\square \times \square) \ cm^2$이고,
(새로 만든 직사각형의 넓이)
$=(\square \times 1.5) \times (\square \times 6)$
$=(\square \times \square \times 9) \ cm^2$입니다.

$\Rightarrow$ (새로 만든 직사각형의 넓이)$-$(처음 정사각형의
넓이)$=(\square \times \square \times 9) - (\square \times \square) = 34$,

$\square \times \square \times 8 = 34$, $\square \times \square = 34 \div 8 = 4.25$

따라서 처음 정사각형의 넓이는 $4.25 \ cm^2$입니다.

11 3월은 31일까지 있으므로 3월 1일 오후 1시부터 4월 12일 오후 1시까지는 6주입니다.

(삼순이가 일주일 동안 늘어난 몸무게)
$=(6.5 - 3.02) \div 6 = 3.48 \div 6 = 0.58(kg)$

(복실이가 일주일 동안 늘어난 몸무게)
$=(6.64 - 3.46) \div 6 = 3.18 \div 6 = 0.53(kg)$

따라서 $0.58 > 0.53$이므로 삼순이가 복실이보다 몸무게가 일주일 동안
$0.58 - 0.53 = 0.05(kg)$ 더 많이 늘어났습니다.

12 (자전거를 1분 동안 탈 때 소모하는 열량)
$=25 \div 5 = 5(kcal)$

초콜릿 1인분을 먹었을 때 섭취한 열량을 자전거를 타서 모두 소모하려면 자전거를
$326.75 \div 5 = 65.35$(분) 동안 타야 합니다.

0.35분 $\rightarrow 60 \times 0.35 = 21$(초)

따라서 수연이는 자전거를
65분 21초$=$1시간 5분 21초 동안 타야 합니다.

최상위권 문제   60~61쪽

1 72.6 cm   **2** 33.1분

3 3.05   **4** $9.8 \ cm^2$

5 17분 12초 후   **6** 11분 27초 후

1 색칠한 직사각형의 세로를 □ cm라 하면
가로는 $(\square \times 3) \ cm$이므로

$\square + \square \times 3 = 48.4 \div 2 = 24.2$, $\square \times 4 = 24.2$,

$\square = 24.2 \div 4 = 6.05$입니다.

(정사각형의 한 변)$=6.05 \times 3 = 18.15(cm)$

$\Rightarrow$ (정사각형의 둘레)$=18.15 \times 4 = 72.6(cm)$

2 | 비법 PLUS | 철근 한 개를 ■번 자르면 (■$-$1)번 쉬게 됩니다.

철근 한 개를 7도막으로 자르려면 6번 자르고 5번 쉬어야 합니다.

(6번 자르는 데 걸린 시간)$=16.4 - 1 \times 5$
$\qquad\qquad\qquad\qquad\qquad = 16.4 - 5 = 11.4$(분)

(1번 자르는 데 걸린 시간)$=11.4 \div 6 = 1.9$(분)

철근 한 개를 10도막으로 자르려면 9번 자르고 8번 쉬어야 합니다.

따라서 철근 한 개를 한 번 자를 때마다 2분씩 쉬어가며 10도막으로 자르는 데 걸리는 시간은
$1.9 \times 9 + 2 \times 8 = 17.1 + 16 = 33.1$(분)입니다.

3 | 비법 PLUS |

· 몫이 가장 큰 나눗셈 $\Rightarrow$ (가장 큰 수)$\div$(가장 작은 수)
· 몫이 가장 작은 나눗셈 $\Rightarrow$ (가장 작은 수)$\div$(가장 큰 수)

㉠이 될 수 있는 자연수는 22, 23, 24, 25, 26, 27, 28, 29입니다.

$36 \div 8 = 4.5$, $49.26 \div 6 = 8.21$이므로 ㉡이 될 수 있는 자연수는 5, 6, 7, 8입니다.

- ㉠÷㉡의 몫이 가장 클 때의 몫: 29÷5=5.8
- ㉠÷㉡의 몫이 가장 작을 때의 몫: 22÷8=2.75

따라서 몫이 가장 클 때와 작을 때의 몫의 차는
5.8-2.75=3.05입니다.

4 비법 PLUS 이등변삼각형이 1초에 움직이는 거리를 이용하여 15초 후 이등변삼각형의 위치를 알아봅니다.

(이등변삼각형이 1초에 움직이는 거리)
=4.34÷7=0.62(cm)
(이등변삼각형이 15초 동안 움직이는 거리)
=0.62×15=9.3(cm)
15초 후 두 도형의 위치는 그림과 같습니다.

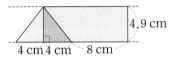

4 cm 4 cm   8 cm   4.9 cm

서로 겹쳐진 부분은 밑변이 4 cm, 높이가 4.9 cm인 삼각형 모양입니다.

⇨ (서로 겹쳐진 부분의 넓이)=4×4.9÷2
=9.8(cm²)

5 비법 PLUS (두 사람이 처음으로 만나는 데 걸리는 시간)
=(호수의 둘레)÷(두 사람이 1분 동안 걷는 거리의 합)

(윤영이가 1분 동안 걷는 거리)
=238÷5=47.6(m)
(의건이가 1분 동안 걷는 거리)
=443.8÷7=63.4(m)
(두 사람이 1분 동안 걷는 거리의 합)
=47.6+63.4=111(m)
따라서 두 사람은 출발한 지
1909.2÷111=17.2(분) → 17분 12초 후에 처음으로 만납니다.

6 삼각형 ㄱㅁㅇ의 넓이가 처음으로
마름모 ㄱㄴㄷㄹ의 넓이의 $\frac{1}{4}$이 되는 때는 오른쪽 그림과 같이 점 ㅁ이 점 ㄴ에 왔을 때입니다.
점 ㅁ이 움직인 거리는 변 ㄱㄴ의 길이와 같으므로 103.05 cm입니다.
따라서 삼각형 ㄱㅁㅇ의 넓이가 처음으로
마름모 ㄱㄴㄷㄹ의 넓이의 $\frac{1}{4}$이 되는 때는 출발한 지
103.05÷9=11.45(분) → 11분 27초 후입니다.

④ 비와 비율

핵심 개념과 문제 **65쪽**

1 예 5÷4=1.25, 가로는 세로의 1.25배입니다.
2 다릅니다 / 예 5 : 8은 기준이 8이지만, 8 : 5는 기준이 5이기 때문입니다.
3 (위에서부터)
$\frac{2}{5}$, 0.4 / $\frac{3}{4}$, 0.75 / $\frac{2}{16}\left(=\frac{1}{8}\right)$, 0.125
4 9 : 8
5 $\frac{160}{2}(=80)$ / $\frac{225}{3}(=75)$
6 $\frac{14400}{12}(=1200)$ / $\frac{10000}{8}(=1250)$ /
사랑 마을

5 걸린 시간에 대한 간 거리의 비율을 각각 구하면
㉮ 버스는 $\frac{160}{2}(=80)$이고, ㉯ 버스는 $\frac{225}{3}(=75)$
입니다.

6 넓이에 대한 인구의 비율을 각각 구하면 행복 마을은
$\frac{14400}{12}(=1200)$이고, 사랑 마을은 $\frac{10000}{8}(=1250)$
입니다. 따라서 1200<1250이므로 인구가 더 밀집한 곳은 사랑 마을입니다.

핵심 개념과 문제 **67쪽**

1 ㉡   **2** 5 %
3 예   **4** 65 % / 60 %

5 ㉮ 영화
6 16 % / 17 % / 현우

5 ㉯ 영화의 관람석 수에 대한 관객 수의 비율은
$\frac{192}{240}×100=80(\%)$입니다.
따라서 82 %>80 %이므로 관람석 수에 대한 관객 수의 비율이 더 높은 영화는 ㉮ 영화입니다.

6 두 사람이 만든 소금물의 진하기를 각각 구하면
지우는 $\frac{48}{300}×100=16(\%)$이고,
현우는 $\frac{34}{200}×100=17(\%)$입니다.
따라서 16 %<17 %이므로 현우가 만든 소금물이 더 진합니다.

상위권 문제
68~73쪽

유형 ❶ (1) 55 cm² (2) 36 cm² (3) 55 : 36

유제 1 105 : 143　　**유제 2** 169 : 50

유형 ❷ (1) $\dfrac{4}{5}$ (2) 20 : 25

유제 3 3 : 12　　**유제 4** 풀이 참조, 12 : 20

유형 ❸ (1) 20 % / 30 % / 50 % (2) 농구공

유제 5 티셔츠　　**유제 6** 25 %

유형 ❹ (1) 0.03 (2) 1200원 (3) 41200원

유제 7 61500원　　**유제 8** 156000원

유형 ❺ (1) 15 g (2) 25 %

유제 9 24 %　　**유제 10** 13 %

유형 ❻ (1) $\dfrac{240}{20}(=12)$ / $\dfrac{390}{30}(=13)$

　　　(2) 안전 자동차

유제 11 ㉮ 자동차

유제 12 풀이 참조, ㉯ 자동차

유형 ❶ (1) (평행사변형의 넓이)=11×5=55(cm²)

(2) (마름모의 넓이)=12×6÷2=36(cm²)

(3) (평행사변형의 넓이) : (마름모의 넓이)

　　⇨ 55 : 36

유제 1 (삼각형의 넓이)=15×14÷2=105(cm²)

(사다리꼴의 넓이)=(8+18)×11÷2

　　　　　　　　=143(cm²)

(삼각형의 넓이) : (사다리꼴의 넓이)

　⇨ 105 : 143

유제 2 (정사각형 ㉮의 한 변의 길이)

　=52÷4=13(cm)

(정사각형 ㉮의 넓이)=13×13=169(cm²)

(직사각형 ㉯의 넓이)=10×5=50(cm²)

(정사각형 ㉮의 넓이) : (직사각형 ㉯의 넓이)

　⇨ 169 : 50

유형 ❷ (1) $0.8=\dfrac{8}{10}=\dfrac{4}{5}$

(2) $\dfrac{4}{5}$는 분모와 분자의 차가 5−4=1이므로

$\dfrac{4}{5}$와 크기가 같고 분모와 분자의 차가 5인

분수는 5÷1=5에서 $\dfrac{4\times5}{5\times5}=\dfrac{20}{25}$입니다.

따라서 조건을 모두 만족하는 비는 20 : 25
입니다.

유제 3 $0.25=\dfrac{25}{100}=\dfrac{1}{4}$

$\dfrac{1}{4}$은 분모와 분자의 합이 4+1=5이므로 $\dfrac{1}{4}$과

크기가 같고 분모와 분자의 합이 15인 분수는

15÷5=3에서 $\dfrac{1\times3}{4\times3}=\dfrac{3}{12}$입니다. 따라서 조

건을 모두 만족하는 비는 3 : 12입니다.

유제 4 ⓓ 60 %를 기약분수로 나타내면 $\dfrac{60}{100}=\dfrac{3}{5}$입니

다.」❶

$\dfrac{3}{5}$은 분모와 분자의 차가 5−3=2이므로 $\dfrac{3}{5}$과

크기가 같고 분모와 분자의 차가 8인 분수는

8÷2=4에서 $\dfrac{3\times4}{5\times4}=\dfrac{12}{20}$입니다.

따라서 조건을 모두 만족하는 비는 12 : 20입니

다.」❷

채점 기준

❶ 비율 60 %를 기약분수로 나타내기

❷ 조건을 모두 만족하는 비 구하기

유형 ❸ (1) (장난감 로봇의 할인 금액)

　　=15000−12000=3000(원)

　⇨ (장난감 로봇의 할인율)

　　=$\dfrac{3000}{15000}\times100=20(\%)$

(인형의 할인 금액)

　=10000−7000=3000(원)

　⇨ (인형의 할인율)=$\dfrac{3000}{10000}\times100=30(\%)$

(농구공의 할인 금액)

　=6000−3000=3000(원)

　⇨ (농구공의 할인율)

　　=$\dfrac{3000}{6000}\times100=50(\%)$

(2) 50 %>30 %>20 %이므로 할인율이 가장 높
은 물건은 농구공입니다.

유제 5 •(바지의 할인 금액)

　=30000−24000=6000(원),

　(바지의 할인율)=$\dfrac{6000}{30000}\times100=20(\%)$

•(치마의 할인 금액)

　=25000−20500=4500(원),

　(치마의 할인율)=$\dfrac{4500}{25000}\times100=18(\%)$

- (티셔츠의 할인 금액)
  $=15000-13500=1500$(원),
  (티셔츠의 할인율)$=\dfrac{1500}{15000}\times100=10$(%)

따라서 $10\,\%<18\,\%<20\,\%$이므로 할인율이 가장 낮은 옷은 티셔츠입니다.

유제 6 (지난주에 산 과자 한 봉지의 가격)
$=4000\div5=800$(원)
(이번 주에 산 과자 한 봉지의 가격)
$=2400\div4=600$(원)
(과자 한 봉지의 할인 금액)
$=800-600=200$(원)
⇨ (과자 한 봉지의 할인율)
$=\dfrac{200}{800}\times100=25$(%)

유형 ❹ (1) (1년 동안의 이자율)$=\dfrac{1500}{50000}=0.03$

(2) (40000원을 1년 동안 예금할 때 받는 이자)
$=40000\times0.03=1200$(원)

(3) (40000원을 예금할 때 1년 뒤에 찾을 수 있는 돈)$=40000+1200=41200$(원)

유제 7 (1년 동안의 이자율)$=\dfrac{2000}{80000}=0.025$
(60000원을 1년 동안 예금할 때 받는 이자)
$=60000\times0.025=1500$(원)
⇨ (60000원을 예금할 때 1년 뒤에 찾을 수 있는 돈)$=60000+1500=61500$(원)

유제 8 (1년 동안의 이자율)$=\dfrac{400}{20000}=0.02$
(150000원을 2년 동안 예금할 때 받는 이자)
$=150000\times0.02\times2=6000$(원)
⇨ (150000원을 예금할 때 2년 뒤에 찾을 수 있는 돈)$=150000+6000=156000$(원)

유형 ❺ (1) (진하기가 10 %인 소금물에 녹아 있는 소금의 양)$=150\times\dfrac{10}{100}=15$(g)

(2) (새로 만든 소금물에 녹아 있는 소금의 양)
$=15+30=45$(g)
(새로 만든 소금물의 양)$=150+30=180$(g)
⇨ (새로 만든 소금물의 진하기)
$=\dfrac{45}{180}\times100=25$(%)

유제 9 (진하기가 5 %인 설탕물에 녹아 있는 설탕의 양)
$=200\times\dfrac{5}{100}=10$(g)
(새로 만든 설탕물에 녹아 있는 설탕의 양)
$=10+50=60$(g)
(새로 만든 설탕물의 양)$=200+50=250$(g)
⇨ (새로 만든 설탕물의 진하기)
$=\dfrac{60}{250}\times100=24$(%)

유제 10 (진하기가 20 %인 소금물에 녹아 있는 소금의 양)
$=150\times\dfrac{20}{100}=30$(g)
(진하기가 10 %인 소금물에 녹아 있는 소금의 양)
$=350\times\dfrac{10}{100}=35$(g)
(새로 만든 소금물에 녹아 있는 소금의 양)
$=30+35=65$(g)
(새로 만든 소금물의 양)$=150+350=500$(g)
⇨ (새로 만든 소금물의 진하기)
$=\dfrac{65}{500}\times100=13$(%)

유형 ❻ (1) (빠름 자동차의 연비)$=\dfrac{240}{20}(=12)$
(안전 자동차의 연비)$=\dfrac{390}{30}(=13)$

(2) $12<13$이므로 민기네 아버지께서 구입하신 자동차는 안전 자동차입니다.

유제 11 (㉮ 자동차의 연비)$=\dfrac{225}{15}(=15)$
(㉯ 자동차의 연비)$=\dfrac{490}{35}(=14)$
따라서 $15>14$이므로 연비가 더 높은 자동차는 ㉮ 자동차입니다.

유제 12 예 ㉮ 자동차의 연비는 $\dfrac{440}{40}(=11)$,
㉯ 자동차의 연비는 $\dfrac{384}{24}(=16)$,
㉰ 자동차의 연비는 $\dfrac{570}{38}(=15)$입니다.」❶
따라서 $16>15>11$이므로 연비가 가장 높은 자동차는 ㉯ 자동차입니다.」❷

채점 기준
❶ ㉮ 자동차, ㉯ 자동차, ㉰ 자동차의 연비 각각 구하기
❷ 연비가 가장 높은 자동차 구하기

상위권 문제 확인과 응용   74~77쪽

1 ㉡, ㉢

2 $\dfrac{2}{80000}\left(=\dfrac{1}{40000}\right)$

3 30개

4 81 : 65

5 150 %

6 20 %

7 풀이 참조, 208000원

8 ㉮ 은행

9 풀이 참조, 3060원

10 20명

11 ㉠

12 50 g

---

1 각각의 비율을 분수로 나타내고 비교하는 양과 기준량의 크기를 비교합니다.

㉠ $\dfrac{10}{9}$ ⇨ 10>9　　㉡ $\dfrac{95}{100}$ ⇨ 95<100

㉢ $\dfrac{15}{100}$ ⇨ 15<100　　㉣ $\dfrac{108}{100}$ ⇨ 108>100

따라서 비교하는 양이 기준량보다 작은 것은 ㉡, ㉢입니다.

다른 풀이 비교하는 양이 기준량보다 작을 때에는 비율이 1보다 작으므로 ㉡, ㉢입니다.

2 0.8 km=800 m=80000 cm

따라서 집에서 학교까지 실제 거리에 대한 지도에서 거리의 비율은 $\dfrac{2}{80000}\left(=\dfrac{1}{40000}\right)$입니다.

3 이번 달에 생산하는 제품의 불량률이 지난달과 같은 2 %라면 이번 달에 제품 1500개를 생산할 때 불량품은 $1500\times\dfrac{2}{100}=30$(개)입니다.

따라서 지난달보다 불량률을 낮추려면 불량품은 30개 미만이어야 합니다.

4 정사각형의 둘레가 $9\times4=36$(cm)이므로 직사각형의 가로는 $36\div2-5=13$(cm)입니다.

(정사각형의 넓이)=$9\times9=81$(cm²)

(직사각형의 넓이)=$13\times5=65$(cm²)

(정사각형의 넓이) : (직사각형의 넓이) ⇨ 81 : 65

5 삼각형의 높이를 □ cm라 하면 $24\times□\div2=192$,

□=$192\times2\div24=16$입니다.

⇨ (삼각형의 높이에 대한 밑변의 길이의 비율)

　　=$\dfrac{24}{16}\times100=150$(%)

6 (어제 판 오이 한 개의 가격)=$2500\div5=500$(원)

(오늘 판 오이 한 개의 가격)=$3600\div6=600$(원)

(오이 한 개의 오른 금액)=$600-500=100$(원)

⇨ (오이 한 개의 인상률)=$\dfrac{100}{500}\times100=20$(%)

7 **예** 30000원을 1년 동안 예금하여 받은 이자는

$31200-30000=1200$(원)이므로 1년 동안의 이자율은 $\dfrac{1200}{30000}=0.04$입니다.**❶**

이 은행에 200000원을 1년 동안 예금할 때 받는 이자는 $200000\times0.04=8000$(원)입니다.**❷**

따라서 200000원을 예금한다면 1년 뒤에 찾을 수 있는 돈은 모두 $200000+8000=208000$(원)입니다.**❸**

채점 기준

❶ 1년 동안의 이자율 구하기
❷ 200000원을 1년 동안 예금할 때 받는 이자 구하기
❸ 200000원을 예금할 때 1년 뒤에 찾을 수 있는 돈 구하기

8 ・(㉮ 은행의 1개월 이자)=$4000\div2=2000$(원),

(㉮ 은행의 월 이자율)=$\dfrac{2000}{100000}\times100=2$(%)

・(㉯ 은행의 1개월 이자)=$9000\div6=1500$(원),

(㉯ 은행의 월 이자율)=$\dfrac{1500}{150000}\times100=1$(%)

・(㉰ 은행의 1개월 이자)=$36000\div12=3000$(원),

(㉰ 은행의 월 이자율)=$\dfrac{3000}{200000}\times100=1.5$(%)

따라서 2 %>1.5 %>1 %이므로 월 이자율이 가장 높은 ㉮ 은행에 예금하는 것이 가장 이익입니다.

9 **예** 물건 한 개의 이익금은 $3000\times\dfrac{20}{100}=600$(원)이므로 정가는 $3000+600=3600$(원)입니다.**❶**

따라서 할인된 물건 한 개의 할인 금액은

$3600\times\dfrac{15}{100}=540$(원)이므로

가격은 $3600-540=3060$(원)입니다.**❷**

채점 기준

❶ 물건 한 개의 정가 구하기
❷ 할인된 물건 한 개의 가격 구하기

10 혜진이네 반 학생 수를 □명이라 하면

$□\times\dfrac{60}{100}\times\dfrac{1}{3}=4$, $□\times\dfrac{1}{5}=4$,

□=$4\times5=20$이므로 혜진이네 반 학생은 모두 20명입니다.

11 ・(㉠의 원래 보증금과 오른 보증금의 차)

　　=$70-20=50$(원),

(㉠의 인상률)=$\dfrac{50}{20}\times100=250$(%)

・(㉡의 원래 보증금과 오른 보증금의 차)

　　=$100-40=60$(원),

(㉡의 인상률)=$\dfrac{60}{40}\times100=150$(%)

- (ⓒ의 원래 보증금과 오른 보증금의 차)
  $=130-50=80$(원),
  (ⓒ의 인상률)$=\dfrac{80}{50}\times100=160$(%)

따라서 빈 병 보증금의 인상률이 가장 높은 규격은 ㉠입니다.

12 (진하기가 5 %인 설탕물에 녹아 있는 설탕의 양)
$=200\times\dfrac{5}{100}=10$(g)

더 넣은 물의 양을 □ g이라 하여 새로 만든 설탕물의 진하기 구하는 식을 만들면
$\dfrac{10}{200+□}\times100=4$(%)입니다.

따라서 $10\times100=4\times(200+□)$,
$10\times100\div4=200+□$, $200+□=250$,
□$=50$이므로 물 50 g을 더 넣었습니다.

최상위권 문제 　　　　　　 **78~79쪽**

1 0.75	**2** 1155 cm^2	**3** 120 g	
4 2.5 %	**5** 120원	**6** 18 cm	

1 ㉮의 ㉯에 대한 비율은 $\dfrac{㉮}{㉯}=0.6=\dfrac{3}{5}$이고,

㉰에 대한 ㉯의 비율은 $\dfrac{㉯}{㉰}=1.25=\dfrac{5}{4}$입니다.

따라서 ㉮의 ㉰에 대한 비율은
$\dfrac{㉮}{㉰}=\dfrac{㉮}{㉯}\times\dfrac{㉯}{㉰}=\dfrac{3}{5}\times\dfrac{5}{4}=\dfrac{3}{4}=0.75$입니다.

2 ┌─ 비법 PLUS ─────────────────
- (■ cm인 길이를 ★ % 늘였을 때의 길이)
  $=\left(■+■\times\dfrac{★}{100}\right)$ cm
- (▲ cm인 길이를 ● % 줄였을 때의 길이)
  $=\left(▲-▲\times\dfrac{●}{100}\right)$ cm
└──────────────────────────

(새로 만든 삼각형의 밑변의 길이)
$=60-60\times\dfrac{30}{100}=60-18=42$(cm)

(새로 만든 삼각형의 높이)
$=50+50\times\dfrac{10}{100}=50+5=55$(cm)

⇨ (새로 만든 삼각형의 넓이)
$=42\times55\div2=1155$(cm^2)

3 (진하기가 20 %인 설탕물에 녹아 있는 설탕의 양)
$=200\times\dfrac{20}{100}=40$(g)

더 넣은 설탕의 양을 □ g이라 하여 새로 만든 설탕물의 진하기 구하는 식을 만들면

$\dfrac{40+□}{200+□}\times100=50$(%)입니다.

따라서 $\dfrac{40+□}{200+□}=\dfrac{1}{2}$, $40+□=\dfrac{1}{2}\times(200+□)$,
$(40+□)\times2=200+□$, $80+□\times2=200+□$,
$□\times2-□=200-80$, $□=120$입니다.

4
- (제품 2000개가 모두 정상 제품일 때 하루 이익금)
  $=700\times2000=1400000$(원)
- (총 손해금)$=1400000-1340000=60000$(원)
- 제품 2000개가 모두 정상 제품일 때보다 불량품 1개당 $700+500=1200$(원)의 손해가 발생하므로
  (불량품 수)$=60000\div1200=50$(개)입니다.

⇨ (전체 제품 수에 대한 불량품 수의 비율)
$=\dfrac{50}{2000}\times100=2.5$(%)

5 ┌─ 비법 PLUS ─────────────────
(복리법으로 2년 뒤 찾을 수 있는 돈)
$=$(원금과 1년 이자의 합계액)
$+$(원금과 1년 이자의 합계액)$\times$(이자율)
└──────────────────────────

- (㉠ 통장에서 2년 뒤 찾을 수 있는 돈)
  $=300000+300000\times\dfrac{2}{100}\times2$
  $=300000+12000=312000$(원)
- (ⓛ 통장에서 원금과 1년 이자의 합계액)
  $=300000+300000\times\dfrac{2}{100}$
  $=300000+6000=306000$(원),
  (ⓛ 통장에서 2년 뒤 찾을 수 있는 돈)
  $=306000+306000\times\dfrac{2}{100}$
  $=306000+6120=312120$(원)

⇨ (2년 뒤 ㉠ 통장과 ⓛ 통장에서 찾을 수 있는 돈의 차)
$=312120-312000=120$(원)

6 ┌─ 비법 PLUS ─────────────────
㉮와 ㉯의 넓이의 비가 ■ : ▲일 때
(㉮의 넓이) : (㉮와 ㉯의 넓이) ⇨ ■ : (■+▲)
└──────────────────────────

(㉮의 넓이) : (사다리꼴 ㄱㄴㄷㄹ의 넓이)
⇨ ㉮ : (㉮+㉯) ⇨ 3 : (3+5) ⇨ 3 : 8로 비율은
$\dfrac{3}{8}$입니다. ㉮의 넓이는 사다리꼴 ㄱㄴㄷㄹ의 넓이의
$\dfrac{3}{8}$이므로 (㉮의 넓이)$=336\times\dfrac{3}{8}=126$(cm^2)입니다.

따라서 삼각형 ㄱㄴㅁ에서
(선분 ㄴㅁ)$=126\times2\div14=18$(cm)입니다.

❺ 여러 가지 그래프

핵심 개념과 문제   83쪽

1 45, 25, 20, 10, 100 /

이용하는 교통수단별 학생 수

| 0 10 20 30 40 50 60 70 80 90 100(%) |

| 도보
(45 %) | 자전거
(25 %) | 버스
(20 %) | →기타
(10 %) |

2 45 %   **3** 45 %

4 20000명   **5** 27750명

6 12명

1 • 도보: $\dfrac{270}{600} \times 100 = 45(\%)$

   • 자전거: $\dfrac{150}{600} \times 100 = 25(\%)$

   • 버스: $\dfrac{120}{600} \times 100 = 20(\%)$

   • 기타: $\dfrac{60}{600} \times 100 = 10(\%)$

2 띠그래프에서 길이가 가장 긴 항목이 도보이므로 가장 많은 학생이 이용하는 교통수단은 도보이고, 도보의 비율은 전체의 45 %입니다.

3 $25 + 20 = 45(\%)$

4 등록외국인 수가 가장 많은 구는 영등포구로 39000명이고, 가장 적은 구는 관악구로 19000명입니다.
   ⇨ $39000 - 19000 = 20000$(명)

5 영등포구: 39000명, 구로구: 33000명,
금천구: 20000명, 관악구: 19000명
   ⇨ $(39000 + 33000 + 20000 + 19000) \div 4$
     $= 27750$(명)

6 떡볶이를 좋아하는 학생은 순대를 좋아하는 학생의 $48 \div 16 = 3$(배)입니다. ⇨ $4 \times 3 = 12$(명)

핵심 개념과 문제   85쪽

1 40, 25, 20, 15, 100 / 좋아하는 운동별 학생 수

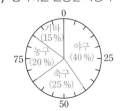

2 40 %   **3** 2배

4

여행 가고 싶은 나라별 학생 수

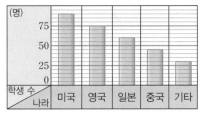

5

여행 가고 싶은 나라별 학생 수

| 0 10 20 30 40 50 60 70 80 90 100(%) |

| 미국
(30 %) | 영국
(25 %) | 일본
(20 %) | 중국
(15 %) | →기타
(10 %) |

6 여행 가고 싶은 나라별 학생 수

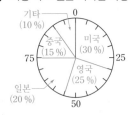

1 • 야구: $\dfrac{24}{60} \times 100 = 40(\%)$

   • 축구: $\dfrac{15}{60} \times 100 = 25(\%)$

   • 농구: $\dfrac{12}{60} \times 100 = 20(\%)$

   • 기타: $\dfrac{9}{60} \times 100 = 15(\%)$

2 원그래프에서 차지하는 부분의 넓이가 가장 넓은 항목이 야구이므로 가장 많은 학생이 좋아하는 운동은 야구이고, 야구의 비율은 전체의 40 %입니다.

3 야구는 40 %, 농구는 20 %입니다.
   ⇨ $40 \div 20 = 2$(배)

5 • 미국: $\dfrac{90}{300} \times 100 = 30(\%)$

   • 영국: $\dfrac{75}{300} \times 100 = 25(\%)$

   • 일본: $\dfrac{60}{300} \times 100 = 20(\%)$

   • 중국: $\dfrac{45}{300} \times 100 = 15(\%)$

   • 기타: $\dfrac{30}{300} \times 100 = 10(\%)$

상위권 문제
86~91쪽

유형 ① (1) 14 % (2) 7 cm

유제 1 12 cm　　　　**유제 2** 8.4 cm

유형 ② (1) 4배 (2) 2112 t

유제 3 5400송이

유제 4 풀이 참조, 1050문제

유형 ③ (1) 212마리 (2) 111마리 (3) 46마리, 65마리

(4)

농장별 소의 수

농장	소의 수
가	🐄🐄🐄🐄🐄 🐮🐮🐮
나	🐄🐄🐄🐄🐄🐄🐄 🐮🐮🐮
다	🐄🐄🐄🐄 🐮🐮🐮🐮🐮🐮
라	🐄🐄🐄🐄🐄🐄 🐮🐮🐮🐮🐮

🐄 10마리
🐮 1마리

유제 5

마을별 학생 수

마을	학생 수
가	😀😀😀😀😀😀😀😀😀
나	😀😀😀
다	😀😀😀😀😀
라	😀😀😀😀😀😀😀😀😀😀

😀 100명
😊 10명

유형 ④ (1) 78명 (2) 76명 (3) 민정이네 학교, 2명

유제 6 풀이 참조, 수정이네 마을, 1마리

유형 ⑤ (1) 20 % (2) 27 % (3) 135명

유제 7 960대　　　　**유제 8** 60개

유형 ⑥ (1) (위에서부터) 63, 45, 9, 36, 27 /
　　　　35, 25, 5, 20, 15

(2)

활동별 시간

과학 공부 (15 %)
국어 공부 (20 %)
수학 공부 (35 %)
영어 공부 (25 %)
휴식 (5 %)

유제 9

활동별 시간

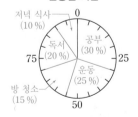

저녁 식사 (10 %)
독서 (20 %)
공부 (30 %)
운동 (25 %)
방 청소 (15 %)

유형 ① (1) (토끼의 비율)$=\dfrac{35}{250} \times 100 = 14(\%)$

(2) (토끼가 차지하는 길이)$=50 \times \dfrac{14}{100} = 7(\text{cm})$

유제 1 (은행나무의 비율)$=\dfrac{576}{1200} \times 100 = 48(\%)$

⇨ (은행나무가 차지하는 길이)
　$=25 \times \dfrac{48}{100} = 12(\text{cm})$

유제 2 (수학의 비율)$=100-35-15-12-10$
　　　　　$=28(\%)$

⇨ (수학이 차지하는 길이)
　$=30 \times \dfrac{28}{100} = 8.4(\text{cm})$

유형 ② (1) (종이류 쓰레기가 아닌 쓰레기의 비율)
　　$=100-20=80(\%)$

　⇨ $80 \div 20 = 4(\text{배})$

(2) 종이류 쓰레기가 528 t이므로 종이류 쓰레기가 아닌 쓰레기는 $528 \times 4 = 2112(\text{t})$입니다.

유제 3 (과꽃이 아닌 꽃의 비율)
　$=100-25=75(\%)$
과꽃이 아닌 꽃의 비율은 과꽃 비율의
$75 \div 25 = 3(\text{배})$입니다.
따라서 과꽃이 1800송이이므로 과꽃이 아닌 꽃은 $1800 \times 3 = 5400(\text{송이})$입니다.

유제 4 예 뺄셈 문제가 아닌 문제의 비율은
$100-16=84(\%)$이므로 뺄셈 문제가 아닌 문제의 비율은 뺄셈 문제 비율의 $84 \div 16 = 5.25(\text{배})$입니다.」❶
따라서 뺄셈 문제가 200문제이므로 뺄셈 문제가 아닌 문제는 $200 \times 5.25 = 1050(\text{문제})$입니다.」❷

채점 기준

❶	뺄셈 문제가 아닌 문제의 비율은 뺄셈 문제 비율의 몇 배인지 구하기
❷	뺄셈 문제가 아닌 문제 수 구하기

유형 ③ (1) (네 농장의 소의 수의 합)$=53 \times 4$
　　　　　　　　　　$=212(\text{마리})$

(2) (다 농장과 라 농장의 소의 수의 합)
　$=212-43-58=111(\text{마리})$

(3) 다 농장의 소의 수를 □마리라 하면 라 농장의 소의 수는 (□+19)마리입니다.
□+(□+19)=111, □+□=92,
□=46이므로 다 농장의 소는 46마리, 라 농장의 소는 46+19=65(마리)입니다.

(4) 다 농장의 소의 수는 🐄 4개, 🐮 6개로 나타내고, 라 농장의 소의 수는 🐄 6개, 🐮 5개로 나타냅니다.

유제 5 (네 마을의 학생 수의 합)$=300\times4=1200$(명)
(나 마을과 다 마을의 학생 수의 합)
$=1200-280-370=550$(명)
다 마을의 학생 수를 □명이라 하면 나 마을의 학생 수는 (□-110)명이므로
(□-110)$+$□$=550$, □$+$□$=660$,
□$=330$입니다.
따라서 다 마을의 학생은 330명이고, 나 마을의 학생은 $330-110=220$(명)이므로 나 마을의 학생 수는  2개,  2개로 나타내고, 다 마을의 학생 수는  3개,  3개로 나타냅니다.

유형 4 (1) (민정이네 학교의 6학년 학생 수)
$=600\times\frac{13}{100}=78$(명)
(2) (소희네 학교의 6학년 학생 수)
$=400\times\frac{19}{100}=76$(명)
(3) 78명$>$76명이므로 6학년 학생은 민정이네 학교가 $78-76=2$(명) 더 많습니다.

유제 6 예 수정이네 마을에서 기르는 말은
$800\times\frac{15}{100}=120$(마리)이고,
진영이네 마을에서 기르는 말은
$700\times\frac{17}{100}=119$(마리)입니다.」 ❶
따라서 120마리$>$119마리이므로 말은 수정이네 마을에서 $120-119=1$(마리) 더 많이 기릅니다.」 ❷

채점 기준
❶ 수정이네 마을과 진영이네 마을에서 기르는 말의 수 각각 구하기
❷ 말은 누구네 마을에서 몇 마리 더 많이 기르는지 구하기

유형 5 (1) (탄산음료의 비율)$=\frac{72°}{360°}\times100=20(\%)$
(2) (이온 음료의 비율)$=100-32-20-21$
$=27(\%)$
(3) (이온 음료를 좋아하는 학생 수)
$=500\times\frac{27}{100}=135$(명)

유제 7 (기타의 비율)$=\frac{18°}{360°}\times100=5(\%)$
(텔레비전의 비율)$=100-38-19-14-5$
$=24(\%)$
⇨ (텔레비전 판매량)
$=4000\times\frac{24}{100}=960$(대)

유제 8 (바나나 우유의 비율)$=\frac{90°}{360°}\times100=25(\%)$
(딸기 우유의 비율)
$=100-25-20-20-5=30(\%)$
⇨ (딸기 우유의 수)$=200\times\frac{30}{100}=60$(개)

유형 6 (1) 3시간$=$180분
- 수학 공부: $\frac{63}{180}\times100=35(\%)$
- 영어 공부: $\frac{45}{180}\times100=25(\%)$
- 휴식: $\frac{9}{180}\times100=5(\%)$
- 국어 공부: $\frac{36}{180}\times100=20(\%)$
- 과학 공부: $\frac{27}{180}\times100=15(\%)$

유제 9 2시간 40분$=$160분
- 공부: 48분 ⇨ $\frac{48}{160}\times100=30(\%)$
- 운동: 40분 ⇨ $\frac{40}{160}\times100=25(\%)$
- 방 청소: 24분 ⇨ $\frac{24}{160}\times100=15(\%)$
- 독서: 32분 ⇨ $\frac{32}{160}\times100=20(\%)$
- 저녁 식사: 16분 ⇨ $\frac{16}{160}\times100=10(\%)$

상위권 문제 확인과 응용　　92~95쪽

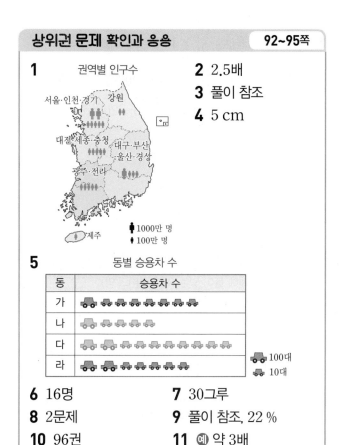

1 권역별 인구수

2 2.5배

3 풀이 참조

4 5 cm

5 동별 승용차 수

동	승용차 수
가	
나	
다	
라	

　　100대
　　10대

6 16명　　　　**7** 30그루

8 2문제　　　　**9** 풀이 참조, 22 %

10 96권　　　　**11** 예 약 3배

12 약 363만 명

---

1 • 서울·인천·경기: 2527만 명 ⇨ 2500만 명
　• 대전·세종·충청: 544만 명 ⇨ 500만 명
　• 광주·전라: 514만 명 ⇨ 500만 명
　• 강원: 152만 명 ⇨ 200만 명
　• 대구·부산·울산·경상: 1310만 명 ⇨ 1300만 명
　• 제주: 61만 명 ⇨ 100만 명

2 2500만÷(500만+500만)=2500만÷1000만
　　　　　　　　　　　　　=2.5(배)

3 예 14세 이하 인구는 감소하고, 15~64세 인구와 65세 이상 인구는 증가하고 있으므로 65세 이상 인구가 계속 증가하여 고령화 현상이 심화될 것 같습니다.」❶

채점 기준
❶ 연령별 인구 구성비의 변화에 따라 발생하는 문제점 쓰기

4 (군것질의 비율)=100-28-22-15-10=25(%)
　⇨ (군것질이 차지하는 길이)=$20×\frac{25}{100}$=5(cm)

5 (네 동의 승용차 수의 합)=210×4=840(대)
　(나 동과 다 동의 승용차 수의 합)
　　=840-170-250=420(대)

나 동의 승용차 수를 □대라 하면 다 동의 승용차 수는 (□×2)대이므로 □+(□×2)=420, □×3=420, □=140입니다.
따라서 나 동의 승용차는 140대이고, 다 동의 승용차는 140×2=280(대)입니다.

6 (봄의 비율)=$35×\frac{3}{7}$=15(%)
　(겨울의 비율)=15×2=30(%)
　(가을의 비율)=100-15-35-30=20(%)
　⇨ (가을에 태어난 학생 수)=$80×\frac{20}{100}$=16(명)

7 (벚나무의 비율)=$\frac{54°}{360°}×100$=15(%)
　(기타의 비율)=100-32-23-15=30(%)
　(기타 나무의 수)=$500×\frac{30}{100}$=150(그루)
　⇨ (밤나무의 수)=$150×\frac{20}{100}$=30(그루)

8 (서술형 문제 수)=$250×\frac{20}{100}$=50(문제)
　(서술형 문제 중 자료와 가능성 영역의 비율)
　=$\frac{4}{50}×100$=8(%)
　(서술형 문제 중 도형 영역의 비율)
　=100-36-18-16-8=22(%)
　(서술형 문제 중 도형 영역의 문제 수)
　=$50×\frac{22}{100}$=11(문제)
　⇨ (서술형 문제 중 도형 영역의 틀린 문제 수)
　　　=11-9=2(문제)

9 예 선영이네 마을의 콩 생산량은
　$200×\frac{19}{100}$=38(t)이고, 기문이네 마을의 콩 생산량은 $300×\frac{24}{100}$=72(t)입니다.」❶
　따라서 두 마을의 곡물 생산량은
　200+300=500(t)이고 두 마을의 콩 생산량은
　38+72=110(t)이므로 두 마을의 콩 생산량은
　두 마을의 곡물 생산량 전체의 $\frac{110}{500}×100$=22(%)
　입니다.」❷

채점 기준
❶ 두 마을의 콩 생산량 각각 구하기
❷ 두 마을의 콩 생산량은 두 마을의 곡물 생산량 전체의 몇 %인지 구하기

10 (소설책의 비율)$=100-69-7=24(\%)$

(동화책 또는 위인전 수)$=1200\times\dfrac{69}{100}=828$(권)

위인전을 □권이라 하면 동화책은 (□+60)권이므로
(□+60)+□$=828$, □+□$=768$, □$=384$입니다.

(소설책 수)$=1200\times\dfrac{24}{100}=288$(권)

따라서 위인전은 소설책보다 $384-288=96$(권)
더 많습니다.

11 (감의 탄수화물의 비율)$=100-82.2-0.5-0.3$
$=17(\%)$

(곶감의 탄수화물의 비율)$=100-39.4-1.9-1.7$
$=57(\%)$

따라서 $17\times3=51$이므로 곶감의 탄수화물은 감의
탄수화물의 약 3배입니다.

12 우리나라에 김씨 성을 가진 사람은

약 5000만$\times\dfrac{22}{100}=1100$만 (명)이고,

김해 김씨는 약 1100만$\times\dfrac{42}{100}=462$만 (명),

광산 김씨는 약 1100만$\times\dfrac{9}{100}=99$만 (명)입니다.

따라서 우리나라에 김해 김씨는 광산 김씨보다
약 462만-99만$=363$만 (명)이 더 많습니다.

1 (영어의 비율)$=\dfrac{15}{50}\times100=30(\%)$

(기타의 비율)$=\dfrac{10}{50}\times100=20(\%)$

(국어의 비율)$=100-35-30-20=15(\%)$
4시간$=240$분

$\Rightarrow$ (국어를 공부한 시간)$=240\times\dfrac{15}{100}=36$(분)

2 | 비법 PLUS | (참외 1개에 들어 있는 칼륨의 양) |
| --- | --- |

$=$(참외 1개에 들어 있는 기타 성분의 양)$\times\dfrac{25}{100}$

(기타 성분의 양)$=400\times\dfrac{2}{100}=8(\mathrm{g})$

(칼륨의 양)$=8\times\dfrac{25}{100}=2(\mathrm{g})$

따라서 $5\div2=2.5$이므로 칼륨의 1일 충분섭취량을
충족하려면 참외는 적어도 3개를 먹어야 합니다.

3 비법 PLUS 밥을 제외한 재료의 비율을 전체로 할 때 햄
의 비율을 구합니다.

(밥을 제외한 재료의 비율)$=100-70=30(\%)$
(햄의 비율)$=100-70-6.5-3.3-2.2=18(\%)$
따라서 햄은 밥을 제외한 재료 전체의
$\dfrac{18}{30}\times100=60(\%)$입니다.

4 (6학년의 비율)$=\dfrac{147}{420}\times100=35(\%)$

• (가로가 18 cm, 세로가 5 cm인 띠그래프의 넓이)
$=18\times5=90(\mathrm{cm}^2)$
$\rightarrow$ (6학년이 차지하는 넓이)
$=90\times\dfrac{35}{100}=31.5(\mathrm{cm}^2)$

• (가로가 10 cm, 세로가 7 cm인 띠그래프의 넓이)
$=10\times7=70(\mathrm{cm}^2)$
$\rightarrow$ (6학년이 차지하는 넓이)
$=70\times\dfrac{35}{100}=24.5(\mathrm{cm}^2)$

$\Rightarrow 31.5-24.5=7(\mathrm{cm}^2)$

최상위권 문제 96~97쪽

1 36분	**2** 3개
3 60 %	**4** 7 cm²
5 태권도 학원	**6** 1071000원

5
비법 PLUS⁺ 피아노, 미술, 태권도 학원에 다니는 남학생 수와 여학생 수를 더하여 각각의 학원에 다니는 학생 수를 구합니다.

• (피아노 학원에 다니는 학생 수)
 =(피아노 학원에 다니는 남학생 수)
  +(피아노 학원에 다니는 여학생 수)
 $=600 \times 0.6 \times 0.25 + 600 \times 0.4 \times 0.45$
 $=90+108=198$(명)

• (미술 학원에 다니는 학생 수)
 =(미술 학원에 다니는 남학생 수)
  +(미술 학원에 다니는 여학생 수)
 $=600 \times 0.6 \times 0.35 + 600 \times 0.4 \times 0.25$
 $=126+60=186$(명)

• (태권도 학원에 다니는 학생 수)
 =(태권도 학원에 다니는 남학생 수)
  +(태권도 학원에 다니는 여학생 수)
 $=600 \times 0.6 \times 0.4 + 600 \times 0.4 \times 0.3$
 $=144+72=216$(명)

따라서 이 마을에서 가장 많은 학생이 다니는 학원은 태권도 학원입니다.

6
비법 PLUS⁺ 먼저 야구공과 농구공 수의 합과 비율의 합을 이용하여 오늘 대형 마트에서 판매한 전체 공의 수를 구합니다.

(판매한 야구공과 농구공 수의 합)
$=54+36=90$(개)
(야구공과 농구공의 비율의 합)
$=100-35-15=50$(%)
$50 \times 2 = 100$(%)이므로 판매한 전체 공 수는 판매한 야구공과 농구공 수의 합의 2배인
$90 \times 2 = 180$(개)입니다.

판매한 축구공은 $180 \times \dfrac{35}{100} = 63$(개),

배구공은 $180 \times \dfrac{15}{100} = 27$(개)입니다.

따라서 오늘 대형 마트에서 공을 팔아서 번 돈은 모두
$(8000 \times 63) + (1500 \times 54) + (9000 \times 36)$
$+ (6000 \times 27)$
$=504000 + 81000 + 324000 + 162000$
$=1071000$(원)입니다.

---

❻ 직육면체의 부피와 겉넓이

핵심 개념과 문제   101쪽

1 (1) 160 cm^3 (2) 216 cm^3

2 가와 다 / 예 직접 맞대어 부피를 비교하려면 가로, 세로, 높이 중에서 두 종류 이상의 길이가 같아야 합니다. 가와 다는 가로와 세로가 각각 4 cm, 3 cm로 같기 때문에 직접 맞대어 부피를 비교할 수 있습니다.

3 다   **4** 나

5 27배   **6** 6

1 (1) $8 \times 4 \times 5 = 160 (\text{cm}^3)$
 (2) $6 \times 6 \times 6 = 216 (\text{cm}^3)$

3 (가에 담을 수 있는 쌓기나무의 수)
 $=2 \times 2 \times 3 = 12$(개)
 (나에 담을 수 있는 쌓기나무의 수)
 $=2 \times 4 \times 2 = 16$(개)
 (다에 담을 수 있는 쌓기나무의 수)
 $=2 \times 3 \times 3 = 18$(개)
 ⇨ 18개>16개>12개이므로 부피가 가장 큰 상자는 다입니다.

4 (가의 부피)$=7 \times 10 \times 8 = 560 (\text{cm}^3)$
 (나의 부피)$=9 \times 9 \times 9 = 729 (\text{cm}^3)$
 ⇨ $560 \text{ cm}^3 < 729 \text{ cm}^3$

5 정육면체의 부피는
 (한 모서리의 길이)×(한 모서리의 길이)
 ×(한 모서리의 길이)이므로 각 모서리의 길이를 3배로 늘인다면 처음 정육면체의 부피의
 $3 \times 3 \times 3 = 27$(배)가 됩니다.
 다른 풀이 (처음 정육면체의 부피)$=2 \times 2 \times 2 = 8(\text{cm}^3)$
 (늘인 정육면체의 부피)$=6 \times 6 \times 6 = 216(\text{cm}^3)$
 ⇨ $216 \div 8 = 27$(배)

6 $5 \times 8 \times \square = 240$, $40 \times \square = 240$
 ⇨ $\square = 240 \div 40 = 6$

핵심 개념과 문제   103쪽

1 214 cm^2 **2** 150 cm^2

3 ⓒ, ⓛ, ㉠, ㉣   **4** 12 cm^2

5 7 m **6** 8

1 $(7×6+7×5+6×5)×2$
$=(42+35+30)×2=214(\text{cm}^2)$

2 $5×5×6=150(\text{cm}^2)$

3 ⓒ $6000000\ \text{cm}^3=6\ \text{m}^3$
ⓔ $500000\ \text{cm}^3=0.5\ \text{m}^3$
⇨ $\underset{ⓒ}{7.5\ \text{m}^3}>\underset{ⓒ}{6\ \text{m}^3}>\underset{㉠}{0.8\ \text{m}^3}>\underset{ⓔ}{0.5\ \text{m}^3}$

4 • 인아: $(6×4+6×3+4×3)×2$
$=(24+18+12)×2=108(\text{cm}^2)$
• 현태: $4×4×6=96(\text{cm}^2)$
⇨ $108-96=12(\text{cm}^2)$

5 $343000000\ \text{cm}^3=343\ \text{m}^3$
$7×7×7=343$이므로 정육면체의 한 모서리의 길이는 7 m입니다.

6 $(\square×7+\square×4+7×4)×2=232$,
$(\square×11+28)×2=232$, $\square×11+28=116$,
$\square×11=88$ ⇨ $\square=88÷11=8$

상위권 문제 104~109쪽

유형 ❶ (1) 10 (2) 312 cm²

유제 1 416 cm³

유제 2 풀이 참조, 330 cm²

유형 ❷ (1) (왼쪽에서부터) 12, 5 (2) 358 cm²

유제 3 198 cm²   **유제 4** 158 cm²

유형 ❸ (1) 6개, 4개, 8개 (2) 192개

유제 5 240개   **유제 6** 1600개

유형 ❹ (1) 1620 cm³, 375 cm³ (2) 1995 cm³

유제 7 1472 cm³   **유제 8** 5 cm

유형 ❺ (1) 3 cm (2) 1242 cm³

유제 9 324 cm³   **유제 10** 풀이 참조, 7 cm

유형 ❻ (1) 9 cm (2) 3762 cm³

유제 11 1872 cm³   **유제 12** 1215 cm³

유형 ❶ (1) $6×6×\square=360$, $36×\square=360$
⇨ $\square=10$
(2) (직육면체의 겉넓이)
$=6×6×2+6×10×4$
$=72+240=312(\text{cm}^2)$

유제 1 직육면체의 세로를 □cm라 하면
$(13×\square+13×4+\square×4)×2=376$,
$17×\square+52=188$, $17×\square=136$,
$\square=8$입니다.
⇨ (직육면체의 부피)$=13×8×4=416(\text{cm}^3)$

유제 2 예 직육면체의 밑면의 한 모서리의 길이를
□cm라 하면 $\square×\square×14=350$,
$\square×\square=25$이므로 $5×5=25$에서
$\square=5$입니다.」❶
따라서 직육면체의 겉넓이는
$5×5×2+5×14×4=50+280$
$=330(\text{cm}^2)$입니다.」❷

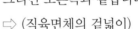
채점 기준
❶ 직육면체의 밑면의 한 모서리의 길이 구하기
❷ 직육면체의 겉넓이 구하기

유형 ❷ (2) 직육면체는 가로가 12 cm, 세로가 7 cm,
높이가 5 cm입니다.
⇨ (직육면체의 겉넓이)
$=(12×7+12×5+7×5)×2$
$=(84+60+35)×2=358(\text{cm}^2)$

유제 3 위, 앞, 옆에서 본 모양을 이용하여 직육면체의 겨냥도를 그리면 오른쪽과 같습니다.

⇨ (직육면체의 겉넓이)
$=(3×9+3×6+9×6)×2$
$=(27+18+54)×2=198(\text{cm}^2)$

유제 4 위와 앞에서 본 모양을 이용하여 직육면체의 겨냥도를 그리면 오른쪽과 같습니다.
⇨ (직육면체의 겉넓이)
$=(5×3+5×8+3×8)×2$
$=(15+40+24)×2=158(\text{cm}^2)$

유형 ❸ (1) 가로: $30÷5=6$(개), 세로: $20÷5=4$(개),
높이: $40÷5=8$(개)
(2) (쌓을 수 있는 쌓기나무 수)
$=6×4×8=192$(개)

유제 **5** $2.4\,m\!=\!240\,cm,\ 3\,m\!=\!300\,cm,$
$0.9\,m\!=\!90\,cm$
가로에 $240\div30\!=\!8$(개),
세로에 $300\div30\!=\!10$(개),
높이에 $90\div30\!=\!3$(개) 놓을 수 있습니다.
$\Rightarrow$ (쌓을 수 있는 물건 수)
$=8\times10\times3\!=\!240$(개)

유제 **6** 가로에 $40\div5\!=\!8$(개),
세로에 $30\div3\!=\!10$(개),
높이에 $80\div4\!=\!20$(개) 놓을 수 있습니다.
$\Rightarrow$ (쌓을 수 있는 물건 수)
$=8\times10\times20\!=\!1600$(개)

유형 **4** (1) (직육면체 ㉠의 부피)
$=9\times15\times12\!=\!1620(cm^3)$
(직육면체 ㉡의 부피)
$=5\times15\times5\!=\!375(cm^3)$
(2) (입체도형의 부피)
$=$(직육면체 ㉠의 부피)
$+$(직육면체 ㉡의 부피)
$=1620+375\!=\!1995(cm^3)$

유제 **7** (큰 직육면체의 부피)
$=16\times12\times8\!=\!1536(cm^3)$
(작은 직육면체의 부피)
$=16\times2\times2\!=\!64(cm^3)$
$\Rightarrow$ (입체도형의 부피)
$=$(큰 직육면체의 부피)
$-$(작은 직육면체의 부피)
$=1536-64\!=\!1472(cm^3)$

유제 **8** (파인 정육면체의 부피)
$=10\times8\times14-995$
$=1120-995\!=\!125(cm^3)$
파인 정육면체의 한 모서리의 길이를 $\square\,cm$라
하면 $\square\times\square\times\square\!=\!125$이므로
$5\times5\times5\!=\!125$에서 $\square\!=\!5$입니다.

유형 **5** (1) (늘어난 물의 높이)$=13-10\!=\!3(cm)$
(2) (돌의 부피)$=$(늘어난 물의 부피)
$=18\times23\times3\!=\!1242(cm^3)$

유제 **9** (줄어든 물의 높이)$=18-14\!=\!4(cm)$
$\Rightarrow$ (돌의 부피)$=$(줄어든 물의 부피)
$=9\times9\times4\!=\!324(cm^3)$

유제 **10** 예 돌을 넣었을 때 늘어난 물의 높이를 $\square\,cm$라
하면 $20\times12\times\square\!=\!480,\ 240\times\square\!=\!480,$
$\square\!=\!2$입니다.」 ❶
따라서 물의 높이는
$5+2\!=\!7(cm)$가 됩니다.」 ❷

채점 기준
❶ 돌을 넣었을 때 물이 몇 cm 늘어나는지 구하기
❷ 물의 높이는 몇 cm가 되는지 구하기

유형 **6** (1) (사용한 끈의 길이)$=130-12\!=\!118(cm)$
택배 상자의 높이를 $\square\,cm$라 하면
$19\times2+22\times2+\square\times4\!=\!118,$
$38+44+\square\times4\!=\!118,$
$82+\square\times4\!=\!118,\ \square\times4\!=\!36,$
$\square\!=\!9$입니다.
(2) (택배 상자의 부피)
$=19\times22\times9\!=\!3762(cm^3)$

유제 **11** (사용한 끈의 길이)$=150-14\!=\!136(cm)$
상자의 세로를 $\square\,cm$라 하면
$18\times2+\square\times4+8\times6\!=\!136,$
$36+\square\times4+48\!=\!136,\ 84+\square\times4\!=\!136,$
$\square\times4\!=\!52,\ \square\!=\!13$입니다.
$\Rightarrow$ (상자의 부피)$=18\times13\times8\!=\!1872(cm^3)$

유제 **12**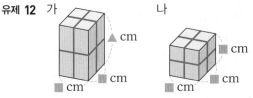

(정육면체 나에서 사용한 끈의 길이)
$=140-32\!=\!108(cm)$
정육면체 나에서 한 모서리의 길이를 ▦ cm라 하
면 ▦ cm인 끈의 길이가 모두 12개 있으므로
▦$\times12\!=\!108,$ ▦$\!=\!9$입니다.
(직육면체 가에서 사용한 끈의 길이)
$=140-8\!=\!132(cm)$
직육면체 가의 가로와 세로는 각각 $9\,cm$이므로
높이를 ▲ cm라 하면
$9\times4+9\times4+$▲$\times4\!=\!132,$
$36+36+$▲$\times4\!=\!132,\ 72+$▲$\times4\!=\!132,$
▲$\times4\!=\!60,$ ▲$\!=\!15$입니다.
$\Rightarrow$ (직육면체 가의 부피)
$=9\times9\times15\!=\!1215(cm^3)$

1 38400 cm^2	**2** 4 cm
3 6 cm	**4** 4.2 m^3
5 540 cm^2	**6** 풀이 참조, 343 m^3
7 19 cm	**8** 27000 cm^3
9 풀이 참조, 75 cm^3	**10** 736 cm^3
11 32 cm^3	**12** 18000 cm^2

1 0.8 m=80 cm이므로 위, 앞, 옆에서 본 모양을 이용하여 직육면체의 겨냥도를 그리면 오른쪽과 같이 한 모서리의 길이가 80 cm인 정육면체가 됩니다.

⇨ 80×80×6=38400(cm^2)

2 입체도형은 쌓기나무 7개로 쌓은 모양이므로
(쌓기나무 한 개의 부피)=448÷7=64(cm^3)입니다.
쌓기나무 한 개의 한 모서리의 길이를 ☐ cm라 하면
☐×☐×☐=64이므로 4×4×4=64에서
☐=4입니다.

3 (직육면체의 부피)=3×9×4=108(cm^3)
(정육면체의 부피)=108×2=216(cm^3)
정육면체의 한 모서리의 길이를 ☐ cm라 하면
☐×☐×☐=216이므로 6×6×6=216에서
☐=6입니다.

4 3 m=300 cm
높이를 ☐ cm라 하면
(300×70+300×☐+70×☐)×2=190000,
21000+370×☐=95000, 370×☐=74000,
☐=200입니다.
⇨ (직육면체의 부피)=300×70×200
=4200000(cm^3) → 4.2 m^3

5 나무토막 4도막의 겉넓이의 합은 처음 나무토막의 겉넓이보다 가로가 5 cm, 세로가 9 cm인 직사각형 4개와 가로가 10 cm, 세로가 9 cm인 직사각형 4개의 넓이의 합만큼 늘어납니다.
따라서 5×9×4+10×9×4=180+360
=540(cm^2) 더 늘어납니다.

다른 풀이 (처음 나무토막의 겉넓이)
=(20×10+20×9+10×9)×2=940(cm^2)
(4도막으로 나눈 나무토막의 겉넓이의 합)
=(10×5+10×9+5×9)×2×4=1480(cm^2)
⇨ 1480−940=540(cm^2)

6 **예** 정육면체의 겨냥도에서 보이지 않는 면은 3개입니다. 정육면체의 한 모서리의 길이를 ☐ m라 하면
☐×☐×3=147, ☐×☐=49이므로
7×7=49에서 ☐=7입니다.」❶
따라서 정육면체의 부피는 7×7×7=343(m^3)입니다.」❷

채점 기준
❶ 정육면체의 한 모서리의 길이 구하기
❷ 정육면체의 부피 구하기

7 (벽돌의 부피)=8×8×8=512(cm^3)
벽돌을 넣어 늘어난 물의 높이를 ☐ cm라 하면
(벽돌의 부피)=(늘어난 물의 부피)
=8×16×☐=512입니다.
8×16×☐=512, 128×☐=512, ☐=4
⇨ (벽돌을 넣은 후 물의 높이)=15+4=19(cm)

8 10과 15의 최소공배수는 30, 30과 6의 최소공배수는 30입니다.
10, 15, 6의 최소공배수는 30이므로 만든 가장 작은 정육면체의 한 모서리의 길이는 30 cm입니다.
⇨ (만든 정육면체의 부피)=30×30×30
=27000(cm^3)

9 **예** 만든 직육면체의 가로는 12+3=15(cm),
세로는 5 cm, 높이는 10×$\frac{90}{100}$=9(cm)입니다.」❶
처음 직육면체의 부피는 12×5×10=600(cm^3)이고, 만든 직육면체의 부피는
15×5×9=675(cm^3)입니다.」❷
따라서 만든 직육면체의 부피는 처음 직육면체의 부피보다 675−600=75(cm^3) 더 큽니다.」❸

채점 기준
❶ 만든 직육면체의 가로, 세로, 높이 각각 구하기
❷ 처음 직육면체의 부피와 만든 직육면체의 부피 각각 구하기
❸ 만든 직육면체의 부피는 처음 직육면체의 부피보다 몇 cm^3 더 큰지 구하기

10 (만들 수 있는 가장 큰 정육면체 모양의 한 면의 넓이)
=384÷6=64(cm^2)
정육면체 모양의 한 모서리의 길이를 ☐ cm라 하면
☐×☐=64이므로 8×8=64에서 ☐=8입니다.
만들 수 있는 가장 큰 정육면체 모양의 한 모서리의 길이는 직육면체의 가장 짧은 모서리의 길이와 같으므로 케이크의 가로는 8 cm입니다.
⇨ (정육면체 모양을 잘라 내고 남은 부분의 부피)
=8×12×13−8×8×8
=1248−512=736(cm^3)

11 오른쪽 큰 정육면체는 가장 작은 정육면체
$3 \times 3 \times 3 = 27$(개)로 이루어져 있으므로
(가장 작은 정육면체의 부피) $= 216 \div 27 = 8(cm^3)$
입니다.
노란색 조각의 부피는 가장 작은 정육면체 4개의 부
피와 같으므로 $8 \times 4 = 32(cm^3)$입니다.

12 (얼음 한 개의 겉넓이) $= 30 \times 30 \times 6 = 5400(cm^2)$
(얼음 5개의 겉넓이의 합)
$= 5400 \times 5 = 27000(cm^2)$
(겹쳐진 면의 넓이의 합)
$= 30 \times 30 \times 10 = 9000(cm^2)$
⇨ (쌓아서 만든 얼음의 겉넓이)
$= 27000 - 9000 = 18000(cm^2)$

다른 풀이 쌓은 모양을 위, 앞, 옆에서 보았을 때 얼음의 한 면
이 각각 4개, 3개, 3개 보이므로 쌓아서 만든 얼음의 겉넓이는
얼음 한 면의 넓이의 $(4+3+3) \times 2 = 20$(배)와 같습니다.
⇨ (쌓아서 만든 얼음의 겉넓이) $= 30 \times 30 \times 20$
$= 18000(cm^2)$

최상위권 문제   114~115쪽

1 $592 \ cm^2$		**2** $3808 \ cm^3$
3 $3000 \ cm^2$		**4** $3072 \ cm^3$
5 $594 \ cm^2$		**6** $15 \ cm$

1 **비법 PLUS** 직육면체에서 꼭짓점을 포함하여 직육면체
모양을 잘라 내면 직육면체의 겉넓이는 변하지 않습니다.

입체도형의 겉넓이는 가로가 $12 \ cm$,
세로가 $10 \ cm$, 높이가 $8 \ cm$인 직
육면체의 겉넓이와 같습니다.

⇨ (입체도형의 겉넓이)
$= (12 \times 10 + 12 \times 8 + 10 \times 8) \times 2$
$= (120 + 96 + 80) \times 2 = 592(cm^2)$

2 네 귀퉁이에서 정사각형 모양을 오려 낸 후 접어서
만든 상자의 가로는 $50 - 8 \times 2 = 34(cm)$,
세로는 $30 - 8 \times 2 = 14(cm)$, 높이는 $8 \ cm$입니다.
⇨ (만든 상자의 부피) $= 34 \times 14 \times 8$
$= 3808(cm^3)$

3 **비법 PLUS** 나무토막의 각 면에서 한 모서리의 길이가
$5 \ cm$인 정육면체의 면 4개의 넓이의 합만큼 페인트를
칠해야 하는 부분이 늘어납니다.

페인트를 칠해야 하는 부분의 넓이는 한 모서리의
길이가 $20 \ cm$인 정육면체의 겉넓이와 한 모서리의
길이가 $5 \ cm$인 정육면체의 한 면의 넓이의
$4 \times 6 = 24$(배)의 합과 같습니다.
⇨ (페인트를 칠해야 하는 부분의 넓이)
$= 20 \times 20 \times 6 + 5 \times 5 \times 24$
$= 2400 + 600 = 3000(cm^2)$

4 비어 있는 부분의 부피는 가로
가 $16 \ cm$, 세로가 $12 \ cm$,
높이가 $8 \ cm$인 직육면체의
부피의 반입니다.
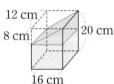
(비어 있는 부분의 부피)
$= 16 \times 12 \times 8 \div 2 = 768(cm^3)$
(수조에 가득 채울 수 있는 물의 부피)
$= 16 \times 12 \times 20 = 3840(cm^3)$
⇨ (남은 물의 부피) $= 3840 - 768 = 3072(cm^3)$

5 **비법 PLUS** (색칠되지 않은 면의 수)
$=$(쌓기나무 18개의 면의 수)$-$(색칠된 면의 수)

(색칠된 쌓기나무의 면의 수)
$= (9+6+6) \times 2 = 21 \times 2 = 42$(개)이므로
(쌓기나무 한 면의 넓이) $= 378 \div 42 = 9(cm^2)$입니다.
쌓기나무 18개의 면은 $6 \times 18 = 108$(개)이므로
색칠되지 않은 쌓기나무의 면은 $108 - 42 = 66$(개)
입니다.
⇨ (색칠되지 않은 면의 넓이의 합)
$= 9 \times 66 = 594(cm^2)$

6 (처음 물통에 있던 물의 부피)
$= 16 \times 15 \times 12 = 2880(cm^3)$
물과 물에 잠긴 나무 막대의 부피의 합에서 물에 잠
긴 나무 막대의 부피를 빼면 처음 물통에 있던 물의
부피가 되므로 나무 막대를 세운 후 물의 높이를
☐ cm라 하면 $16 \times 15 \times ☐ - 8 \times 6 \times ☐ = 2880$,
$240 \times ☐ - 48 \times ☐ = 2880$, $192 \times ☐ = 2880$,
☐ $= 15$입니다.

1 분수의 나눗셈

복습 상위권 **문제** 2~3쪽

1 $3\frac{1}{9}$ cm²$\left(=\frac{28}{9}$ cm²$\right)$

2 $3\frac{3}{7}$ cm$\left(=\frac{24}{7}$ cm$\right)$

3 $4\frac{5}{7}\left(=\frac{33}{7}\right)$ **4** $2\frac{3}{5}\left(=\frac{13}{5}\right)$

5 4

6 $26\frac{1}{4}$ kg$\left(=\frac{105}{4}$ kg$\right)$

7 오전 10시 2분 15초

8 $1\frac{7}{13}$시간$\left(=\frac{20}{13}$시간$\right)$

1 작은 사각형 한 개의 넓이는

$8\frac{8}{9} \div 20 = \frac{80}{9} \div 20 = \frac{4}{9}$ (cm²)입니다.

⇨ (색칠한 부분의 넓이)

$= \frac{4}{9} \times 7 = \frac{28}{9} = 3\frac{1}{9}$ (cm²)

2 삼각형의 높이를 □cm라 하면 $7 \times □ \div 2 = 12$입니다. ⇨ $□ = 12 \times 2 \div 7 = 24 \div 7 = \frac{24}{7} = 3\frac{3}{7}$

3 (눈금 한 칸의 크기)$= (9-4) \div 7 = 5 \div 7 = \frac{5}{7}$

수직선에서 ㉠은 4보다 눈금 한 칸만큼 더 큰 수이므로 $㉠ = 4 + \frac{5}{7} = 4\frac{5}{7}$입니다.

4 계산 결과가 가장 크려면 가장 작은 수를 나누는 수에 놓고, 나머지 수로 가장 큰 대분수를 만들어야 하므로 나누는 수는 3이고, 나누어지는 수는 $7\frac{4}{5}$입니다.

⇨ $7\frac{4}{5} \div 3 = \frac{39}{5} \div 3 = \frac{39 \div 3}{5} = \frac{13}{5} = 2\frac{3}{5}$

5 $2\frac{3}{4} \div 11 \times ♥ = \frac{11}{4} \div 11 \times ♥ = \frac{1}{4} \times ♥$

에서 $\frac{1}{4}$의 분모가 약분되어 1이 되면 계산 결과가 가장 작은 자연수가 되므로 ♥에 알맞은 자연수는 4의 배수 중 가장 작은 수인 4입니다.

6 (동화책 9권의 무게)

$= 10\frac{1}{4} - \frac{4}{5} = 10\frac{5}{20} - \frac{16}{20} = 9\frac{9}{20}$ (kg)

(동화책 한 권의 무게)

$= 9\frac{9}{20} \div 9 = \frac{189}{20} \div 9 = \frac{21}{20} = 1\frac{1}{20}$ (kg)

⇨ (동화책 25권의 무게)

$= 1\frac{1}{20} \times 25 = \frac{21}{20} \times 25 = \frac{105}{4} = 26\frac{1}{4}$ (kg)

7 (하루에 빨라지는 시간)$= 9 \div 4 = \frac{9}{4} = 2\frac{1}{4}$ (분)

$2\frac{1}{4}$분$= 2\frac{15}{60}$분$= 2$분 15초이므로

다음 날 오전 10시에 이 시계가 가리키는 시각은 오전 10시＋2분 15초＝오전 10시 2분 15초입니다.

8 강물이 가 선착장에서 나 선착장 방향으로 흐르므로 배가 나 선착장에서 가 선착장으로 갈 때는 한 시간에 $16-3 = 13$(km)를 갑니다.

⇨ (배가 나 선착장에서 가 선착장까지 가는 데 걸리는 시간)$= 20 \div 13 = \frac{20}{13} = 1\frac{7}{13}$ (시간)

복습 상위권 **문제 확인과 응용** 4~7쪽

1 $1\frac{13}{15}\left(=\frac{28}{15}\right)$

2 $10\frac{2}{3}$ cm$\left(=\frac{32}{3}$ cm$\right)$

3 6   **4** $\frac{1}{7}$ m²

5 26 kg

6 $4\frac{69}{80}$ kg$\left(=\frac{389}{80}$ kg$\right)$

7 $4\frac{1}{4}$ cm$\left(=\frac{17}{4}$ cm$\right)$

8 4일

9 $26\frac{2}{3}$ cm$\left(=\frac{80}{3}$ cm$\right)$

10 $64\frac{12}{17}$ cm²$\left(=\frac{1100}{17}$ cm²$\right)$

11 $\frac{1}{8}$ **12** $\frac{8}{75}$ m²

1 (눈금 한 칸의 크기)

$$=\left(3\frac{1}{5}-1\frac{1}{3}\right)\div14=1\frac{13}{15}\div14$$

$$=\frac{28}{15}\div14=\frac{28\div14}{15}=\frac{2}{15}$$

수직선에서 ㉠은 $1\frac{1}{3}$보다 눈금 4칸만큼 더 큰 수입니다.

$$\Rightarrow ㉠=1\frac{1}{3}+\frac{2}{15}\times4=1\frac{1}{3}+\frac{8}{15}$$

$$=1\frac{5}{15}+\frac{8}{15}=1\frac{13}{15}$$

2 정육면체의 전개도의 둘레는 정육면체의 한 모서리의 길이의 14배이므로 정육면체의 한 모서리의 길이는

$$12\frac{4}{9}\div14=\frac{112}{9}\div14=\frac{8}{9}\text{(cm)}$$입니다.

정육면체의 모서리는 12개이므로
정육면체의 모든 모서리의 길이의 합은

$$\frac{8}{9}\times12=\frac{32}{3}=10\frac{2}{3}\text{(cm)}$$입니다.

3 $\dfrac{㉮}{㉯}\times(19-㉯)=㉮\div㉯\times(19-㉯)$

$$=8\frac{1}{4}\div11\times8=\frac{33}{4}\div11\times8$$

$$=\frac{33\div11}{4}\times8=\frac{3}{4}\times8=6$$

4 (가장 큰 평행사변형의 넓이)

$$=2\frac{2}{7}\times3=\frac{16}{7}\times3=\frac{48}{7}=6\frac{6}{7}\text{(m}^2)$$

$\Rightarrow$ (색칠한 부분의 넓이)

$$=6\frac{6}{7}\div8\div6=\frac{48}{7}\div8\div6=\frac{48\div8}{7}\div6$$

$$=\frac{6}{7}\div6=\frac{6\div6}{7}=\frac{1}{7}\text{(m}^2)$$

5 (통조림 캔 16개의 무게)

$$=14\frac{1}{5}-\frac{1}{3}=14\frac{3}{15}-\frac{5}{15}=13\frac{13}{15}\text{(kg)}$$

(통조림 캔 한 개의 무게)

$$=13\frac{13}{15}\div16=\frac{208}{15}\div16=\frac{13}{15}\text{(kg)}$$

$\Rightarrow$ (통조림 캔 30개의 무게)$=\dfrac{13}{15}\times30=26\text{(kg)}$

6 우리집이 가진 쌀의 무게를 $\square$ kg이라 하면 이웃집이 가진 쌀의 무게는 $\left(\square+\dfrac{2}{5}\right)$ kg입니다.

$$\square+\left(\square+\frac{2}{5}\right)=10\frac{1}{8},$$

$$\square+\square=10\frac{1}{8}-\frac{2}{5}=9\frac{29}{40}$$

$$\Rightarrow\square=9\frac{29}{40}\div2=\frac{389}{40}\times\frac{1}{2}=\frac{389}{80}=4\frac{69}{80}$$

7 겹쳐진 부분은 $17-1=16$(군데)이고, 색 테이프 한 장의 길이를 $\square$ cm라 하면

$$\square\times17-\frac{3}{4}\times16=60\frac{1}{4}$$입니다.

$$\square\times17-12=60\frac{1}{4},\ \square\times17=72\frac{1}{4}$$

$$\Rightarrow\square=72\frac{1}{4}\div17=\frac{289}{4}\div17$$

$$=\frac{289\div17}{4}=\frac{17}{4}=4\frac{1}{4}$$

8 전체 일의 양을 1이라 하면
(준하가 하루 동안 하는 일의 양)

$$=\frac{1}{2}\div6=\frac{1}{2}\times\frac{1}{6}=\frac{1}{12},$$

(혜수가 하루 동안 하는 일의 양)

$$=\frac{5}{6}\div5=\frac{5\div5}{6}=\frac{1}{6}$$입니다.

(두 사람이 함께 하루 동안 하는 일의 양)

$$=\frac{1}{12}+\frac{1}{6}=\frac{3}{12}=\frac{1}{4}$$

따라서 두 사람이 함께 일을 한다면 일을 모두 마치는 데 4일이 걸립니다.

9

색칠한 부분의 둘레는 색칠한 부분의 세로의 10배입니다.

(색칠한 부분의 세로)

$$=16\frac{2}{3}\div10=\frac{50}{3}\div10=\frac{5}{3}=1\frac{2}{3}\text{(cm)}$$

(정사각형의 한 변)$=\dfrac{5}{3}\times4=\dfrac{20}{3}=6\dfrac{2}{3}\text{(cm)}$

$\Rightarrow$ (정사각형의 둘레)

$$=6\frac{2}{3}\times4=\frac{20}{3}\times4=\frac{80}{3}=26\frac{2}{3}\text{(cm)}$$

10 두 직선 가와 나가 서로 평행하므로 평행사변형과 사다리꼴의 높이는 두 직선 가와 나 사이의 거리와 같습니다.

두 직선 사이의 거리를 $\square$ cm라 하면

$10 \times \square + (9+5) \times \square \div 2 = 110$,

$10 \times \square + 7 \times \square = 110$, $17 \times \square = 110$,

$\square = 110 \div 17 = \dfrac{110}{17} = 6\dfrac{8}{17}$ 입니다.

⇨ (평행사변형의 넓이)

$= 10 \times 6\dfrac{8}{17} = 10 \times \dfrac{110}{17}$

$= \dfrac{1100}{17} = 64\dfrac{12}{17}$ (cm²)

11 • (가 도로의 경사도) $= 120 \div 800 = \dfrac{120}{800} = \dfrac{3}{20}$

• (다 도로의 경사도) $= 176 \div 640 = \dfrac{176}{640} = \dfrac{11}{40}$

⇨ $\dfrac{11}{40} - \dfrac{3}{20} = \dfrac{11}{40} - \dfrac{6}{40} = \dfrac{5}{40} = \dfrac{1}{8}$

12 직사각형의 세로를 $\square$ m라 하면

$\left(\dfrac{2}{5} + \square\right) \times 2 = 1\dfrac{1}{3}$,

$\dfrac{2}{5} + \square = 1\dfrac{1}{3} \div 2 = \dfrac{4}{3} \div 2 = \dfrac{4 \div 2}{3} = \dfrac{2}{3}$,

$\dfrac{2}{5} + \square = \dfrac{2}{3}$, $\square = \dfrac{2}{3} - \dfrac{2}{5} = \dfrac{4}{15}$ 입니다.

따라서 직사각형의 넓이는

$\dfrac{2}{5} \times \dfrac{4}{15} = \dfrac{8}{75}$ (m²)입니다.

복습 최상위권 문제 8~9쪽

1 7 km **2** $\dfrac{5}{144}$

3 $\dfrac{2}{3}$

4 $1\dfrac{11}{24}$ cm $\left(= \dfrac{35}{24}$ cm$\right)$

5 $22\dfrac{2}{9}$ cm² $\left(= \dfrac{200}{9}$ cm²$\right)$

6 10분 15초

---

1 비법 PLUS➕ 먼저 두 사람이 각각 1분 동안 가는 거리를 구합니다.

(서진이가 1분 동안 걸어 가는 거리)

$= \dfrac{1}{6} \div 10 = \dfrac{1}{6} \times \dfrac{1}{10} = \dfrac{1}{60}$ (km)

(태민이가 1분 동안 자전거를 타고 가는 거리)

$= 1 \div 3 = \dfrac{1}{3}$ (km)

두 사람이 서로 반대 방향으로 가므로 출발한 지 1분 후 두 사람 사이의 거리는 두 사람이 1분 동안 가는 거리의 합과 같습니다.

(1분 후 서진이와 태민이 사이의 거리)

$= \dfrac{1}{60} + \dfrac{1}{3} = \dfrac{21}{60} = \dfrac{7}{20}$ (km)

⇨ (20분 후 두 사람 사이의 거리)

$= \dfrac{7}{20} \times 20 = 7$ (km)

2 비법 PLUS➕ 식에 주어진 분수의 분모를 연속한 두 자연수의 곱으로 나타내어 계산합니다.

$\left(\dfrac{1}{20} + \dfrac{1}{30} + \dfrac{1}{42} + \dfrac{1}{56} + \dfrac{1}{72}\right) \div 4$

$= \left(\dfrac{1}{4 \times 5} + \dfrac{1}{5 \times 6} + \dfrac{1}{6 \times 7} + \dfrac{1}{7 \times 8} + \dfrac{1}{8 \times 9}\right) \div 4$

$= \left(\dfrac{1}{4} - \dfrac{1}{5} + \dfrac{1}{5} - \dfrac{1}{6} + \dfrac{1}{6} - \dfrac{1}{7} + \dfrac{1}{7} - \dfrac{1}{8} + \dfrac{1}{8} - \dfrac{1}{9}\right) \div 4$

$= \left(\dfrac{1}{4} - \dfrac{1}{9}\right) \div 4 = \dfrac{5}{36} \div 4$

$= \dfrac{5}{36} \times \dfrac{1}{4} = \dfrac{5}{144}$

3 $\dfrac{3}{8} \div 2 \times 5 = \dfrac{3}{8} \times \dfrac{1}{2} \times 5 = \dfrac{3}{16} \times 5 = \dfrac{15}{16}$,

$\dfrac{5}{9} \div 5 \times 4 = \dfrac{5 \div 5}{9} \times 4 = \dfrac{1}{9} \times 4 = \dfrac{4}{9}$,

$\dfrac{1}{6} \div 8 \times 12 = \dfrac{1}{6} \times \dfrac{1}{8} \times 12 = \dfrac{1}{48} \times 12 = \dfrac{1}{4}$

이므로 가장 위에 있는 수를 왼쪽 수로 나눈 다음 오른쪽 수를 곱하면 가운데 수가 되는 규칙입니다.

⇨ ㉠$= 1\dfrac{5}{9} \div 7 \times 3 = \dfrac{14}{9} \div 7 \times 3 = \dfrac{14 \div 7}{9} \times 3$

$= \dfrac{2}{9} \times 3 = \dfrac{2}{3}$

4 (직사각형 ㄱㄴㄷㄹ의 넓이)

$$=8 \times 4\frac{3}{8}=8 \times \frac{35}{8}=35(\text{cm}^2)$$

사다리꼴 ㄱㄴㅁㄹ의 넓이가 삼각형 ㄴㄷㅁ의 넓이의 5배이므로 직사각형 ㄱㄴㄷㄹ의 넓이는 삼각형 ㄴㄷㅁ의 넓이의 6배와 같습니다.

$$(\text{삼각형 ㄴㄷㅁ의 넓이})=35\div 6=\frac{35}{6}=5\frac{5}{6}(\text{cm}^2)$$

선분 ㅁㄷ의 길이를 □ cm라 하면

$$8 \times □ \div 2 = 5\frac{5}{6}\text{입니다.}$$

$$\Rightarrow □=5\frac{5}{6}\times 2 \div 8=\frac{35}{6}\times 2 \div 8$$

$$=\frac{35}{3}\div 8=\frac{35}{3}\times\frac{1}{8}=\frac{35}{24}=1\frac{11}{24}$$

5 겹쳐진 부분의 넓이를 □ cm²라 하면 색종이 한 장의 넓이는 (□×5) cm²입니다.

(색종이를 붙인 부분의 넓이)

$$=□\times 5+□\times 5-□=□\times 9=40,$$

$$□=40\div 9=\frac{40}{9}=4\frac{4}{9}$$

$$\Rightarrow (\text{색종이 한 장의 넓이})$$

$$=4\frac{4}{9}\times 5=\frac{40}{9}\times 5=\frac{200}{9}=22\frac{2}{9}(\text{cm}^2)$$

6 비법 PLUS ⎜ 먼저 수조의 들이는 몇 L인지 구해 봅니다.

㉮ 수도와 ㉯ 수도를 동시에 틀어 1분 동안 받을 수 있는 물의 양은 $3\frac{1}{4}+5=8\frac{1}{4}(\text{L})$입니다.

$8\frac{1}{4}$ L씩 20분 동안 물을 채우면 빈 욕조에 물이 가득 차므로 욕조의 들이는

$8\frac{1}{4}\times 20=\frac{33}{4}\times 20=165(\text{L})$입니다.

㉯ 수도를 튼 지 □분 만에 고장 났다고 하면

$$3\frac{1}{4}\times 35+5\times□=165,$$

$$\frac{13}{4}\times 35+5\times□=165,\ \frac{455}{4}+5\times□=165,$$

$$113\frac{3}{4}+5\times□=165,\ 5\times□=51\frac{1}{4},$$

$$□=51\frac{1}{4}\div 5=\frac{205}{4}\div 5=\frac{41}{4}=10\frac{1}{4}\text{입니다.}$$

$10\frac{1}{4}$분 $=10\frac{15}{60}$분 $=10$분 15초이므로 ㉯ 수도는 튼 지 10분 15초 만에 고장 났습니다.

② 각기둥과 각뿔

1 35개   **2** 5개
3 91 cm   **4** 9 cm
5 21개
6

1 (한 밑면의 변의 수)+2=9(개),
(한 밑면의 변의 수)=9-2=7(개)
(꼭짓점의 수)=7×2=14(개),
(모서리의 수)=7×3=21(개)
$\Rightarrow$ 14+21=35(개)

2 (밑면의 변의 수)+1=7(개),
(밑면의 변의 수)=7-1=6(개)
(면의 수)=6+1=7(개),
(모서리의 수)=6×2=12(개)
$\Rightarrow$ 12-7=5(개)

3 오각기둥의 한 밑면의 다섯 변의 길이가 각각 3 cm, 5 cm, 4 cm, 8 cm, 3 cm이고 높이는 9 cm입니다.
(한 밑면의 둘레)=3+5+4+8+3=23(cm)
$\Rightarrow$ (모든 모서리의 길이의 합)
    =23×2+9×5=46+45=91(cm)

4

(선분 ㄱㄹ)=7+6+10=23(cm)
$\Rightarrow$ (선분 ㄹㄷ)=207÷23=9(cm)

5 밑면이 삼각형과 사각형으로 나누어지므로 삼각기둥과 사각기둥이 생깁니다.
(삼각기둥의 모서리의 수)=3×3=9(개),
(사각기둥의 모서리의 수)=4×3=12(개)
$\Rightarrow$ 9+12=21(개)

6

각기둥의 전개도에 각기둥의 꼭짓점을 모두 표시한 후 선분 ㄱㄷ, 선분 ㄷㅇ, 선분 ㅇㅂ, 선분 ㅂㄱ을 찾아 차례로 선을 긋습니다.

복습 상위권 문제 확인과 응용　12~15쪽

1 4 cm	**2** 23개
3 36 cm	**4** 122 cm
5 십이각기둥	**6** 25개
7 62 cm	**8** 68개
9 63개	**10** 207 cm
11 36개	**12** 88 cm

1 밑면의 한 변의 길이를 □ cm라 하면
$\square \times 6 + 7 \times 6 = 66$, $\square \times 6 = 24$, $\square = 4$입니다.

2 • 모서리가 18개인 각뿔의 밑면의 변을 □개라 하면
$\square \times 2 = 18$, $\square = 9$이므로 꼭짓점은
$9 + 1 = 10$(개)입니다.
• 면이 13개인 각뿔의 꼭짓점은 13개입니다.
⇨ $10 + 13 = 23$(개)
(참고) 각뿔에서 꼭짓점의 수와 면의 수는 같습니다.

3 면 ④의 넓이가 126 cm²이므로
(선분 ㅊㅇ)$= 126 \div 14 = 9$(cm)입니다.
면 ㉮의 넓이가 54 cm²이므로
$9 \times$(선분 ㅈㅊ)$\div 2 = 54$,
(선분 ㅈㅊ)$= 54 \times 2 \div 9 = 12$(cm)입니다.
⇨ (선분 ㄱㅅ)$= 12 + 9 + 15 = 36$(cm)

4 길이가 9 cm인 모서리와 길이가 같은 부분은 2군데, 12 cm인 모서리와 길이가 같은 부분은 2군데, 15 cm인 모서리와 길이가 같은 부분은 4군데이고, 매듭은 20 cm입니다.
따라서 필요한 끈의 길이는
$9 \times 2 + 12 \times 2 + 15 \times 4 + 20$
$= 18 + 24 + 60 + 20 = 122$(cm)입니다.

---

5 각기둥의 한 밑면의 변을 □개라 하면
$\square \times 2 + \square + 2 + \square \times 3 = 74$, $\square \times 6 = 72$,
$\square = 12$입니다.
따라서 이 각기둥은 밑면의 모양이 십이각형이므로 십이각기둥입니다.

6 각뿔의 밑면의 변을 □개라 하면
$6 \times \square + 8 \times \square = 112$, $14 \times \square = 112$,
$\square = 8$입니다.
(꼭짓점의 수)$= 8 + 1 = 9$(개),
(모서리의 수)$= 8 \times 2 = 16$(개)
⇨ $9 + 16 = 25$(개)

7 ㉮ 모양 2장, ㉯ 모양 2장, ㉰ 모양 1장을 모두 사용하여 오른쪽 그림과 같이 ㉮를 밑면으로 하고 높이가 6 cm인 삼각기둥을 만들 수 있습니다.

⇨ (모든 모서리의 길이의 합)
$= (10 + 6 + 6) \times 2 + 6 \times 3$
$= 44 + 18 = 62$(cm)

8 각뿔의 밑면의 변을 □개라 하면
$\square \times 2 + \square + 1 = 34$, $\square \times 3 = 33$, $\square = 11$이므로 이 각뿔의 밑면의 모양은 십일각형입니다.
따라서 밑면의 모양이 십일각형인 각기둥의 꼭짓점, 면, 모서리의 수의 합은
$11 \times 2 + (11 + 2) + 11 \times 3 = 22 + 13 + 33 = 68$(개)입니다.

9 밑면을 모양과 크기가 같은 도형 7개로 나누어 보면 삼각형 7개이므로 밑면에 수직으로 잘라 생기는 각기둥은 삼각기둥입니다.
따라서 삼각기둥의 모서리는 $3 \times 3 = 9$(개)이므로 삼각기둥 7개의 모서리의 수의 합은 $9 \times 7 = 63$(개)입니다.

10 옆면이 모두 직사각형인 입체도형은 각기둥입니다.
꼭짓점이 18개인 각기둥의 한 밑면의 변은
$18 \div 2 = 9$(개)이므로 이 입체도형은 구각기둥입니다.
⇨ (모든 모서리의 길이의 합)
$= 5 \times 9 \times 2 + 13 \times 9 = 90 + 117 = 207$(cm)

11 사각기둥의 모서리는 $4 \times 3 = 12$(개)이고 삼각뿔 모양만큼 한 번 자를 때마다 모서리는 3개씩 늘어납니다.

따라서 8개의 꼭짓점 부분을 모두 잘라낸 입체도형의 모서리는 $12 + 3 \times 8 = 36$(개)입니다.

12 밑면의 한 변의 길이를 $\square$ cm라 하면

$\square \times 6 \times 2 + 260 \times 6 = 2616$,

$\square \times 12 + 1560 = 2616$, $\square \times 12 = 1056$,

$\square = 88$입니다.

복습 최상위권 문제   **16~17쪽**

1 16개	**2** 29개
3 240 cm	**4** 칠각뿔
5 144 cm	**6** 4 cm

1 모서리의 수가 밑면의 변의 수의 2배인 입체도형은 각뿔입니다.

각뿔의 밑면의 변을 $\square$개라 하면

$\square + 1 + \square \times 2 = 46$, $\square \times 3 = 45$, $\square = 15$입니다.

따라서 입체도형의 꼭짓점은 $15 + 1 = 16$(개)입니다.

2 **비법 PLUS** 세 각기둥의 한 밑면의 변의 수를 각각 구할 수 없으므로 세 각기둥의 한 밑면의 변의 수의 합을 구한 다음 세 각기둥의 면의 수의 합을 구합니다.

세 각기둥의 한 밑면의 변의 수의 합을 $\square$개라 하면

$\square \times 3 = 69$, $\square = 23$입니다.

따라서 세 각기둥의 면의 수의 합은

$23 + 2 + 2 + 2 = 29$(개)입니다.

3 **비법 PLUS** 전개도를 둘레가 가장 길게 되도록 만들려면 길이가 긴 모서리부터 잘라서 만들어야 합니다.

전개도의 둘레가 가장 길게 되도록 만들려면 길이가 긴 모서리부터 잘라서 오른쪽 그림과 같이 만들어야 합니다.

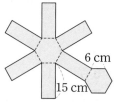
6 cm
15 cm

전개도의 둘레에는 길이가 6 cm인 선분이 10개, 15 cm인 선분이 12개 있습니다.

⇨ (전개도의 둘레)

$= 6 \times 10 + 15 \times 12 = 60 + 180 = 240$(cm)

4 한 밑면의 변을 $\square$개라 하면

• (각기둥에서 꼭짓점, 면, 모서리의 수의 합)

$= \square \times 2 + \square + 2 + \square \times 3 = \square \times 6 + 2$

• (각뿔에서 꼭짓점, 면, 모서리의 수의 합)

$= \square + 1 + \square + 1 + \square \times 2 = \square \times 4 + 2$

$(\square \times 6 + 2) - (\square \times 4 + 2) = 14$, $\square \times 2 = 14$,

$\square = 7$

따라서 밑면의 모양이 칠각형인 각뿔이므로 칠각뿔입니다.

5 (팔각기둥의 옆면의 넓이의 합)

$= 1120 \div 5 = 224 (\text{cm}^2)$

(팔각기둥의 한 밑면의 둘레)

$= 224 \div 14 = 16 (\text{cm})$

⇨ (모든 모서리의 길이의 합)

$= 16 \times 2 + 14 \times 8 = 32 + 112 = 144 (\text{cm})$

6 **비법 PLUS** 입체도형에서 두 꼭짓점을 잇는 가장 짧은 거리는 전개도에서 두 점을 잇는 직선 거리와 같습니다.

가장 짧게 그은 선은 오른쪽 그림과 같이 옆면의 전개도에서 점 ㄱ과 점 ㅁ을 직선으로 이은 선분입니다.

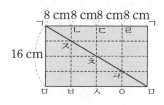
8 cm 8 cm 8 cm 8 cm
16 cm

따라서 선분 ㄴㅈ의 길이는 높이 16 cm의

$\dfrac{1}{4}$이므로 $16 \times \dfrac{1}{4} = 4 (\text{cm})$입니다.

❸ 소수의 나눗셈

1 0.66	**2** 5.75 cm
3 4.88	**4** 545.25 g
5 7.5 m	**6** 32.25 km
7 오전 10시 23분 36초	**8** 6.5

1 어떤 소수를 $\square$라 하면 $\square \times 8 = 42.24$입니다.
⇨ $\square = 42.24 \div 8 = 5.28$
따라서 바르게 계산하면 $5.28 \div 8 = 0.66$입니다.

2 (정사각형의 넓이)$=8 \times 8 = 64(cm^2)$
(삼각형의 넓이)$=87 - 64 = 23(cm^2)$
⇨ (삼각형의 높이)$=23 \times 2 \div 8$
$= 46 \div 8 = 5.75(cm)$

3 나누어지는 수가 클수록, 나누는 수가 작을수록 나눗셈의 몫은 커집니다.
$2 < 6 < 7 < 9$이므로 몫이 가장 큰 나눗셈식은 $9.76 \div 2$입니다.
⇨ $9.76 \div 2 = 4.88$

4 (풀 6개의 무게)$=1002.4 - 784.3 = 218.1(g)$
(풀 1개의 무게)$=218.1 \div 6 = 36.35(g)$
⇨ (풀 15개의 무게)$=36.35 \times 15 = 545.25(g)$

5 (도로의 한쪽에 심어야 할 가로수의 수)
$=18 \div 2 = 9$(그루)
(가로수 사이의 간격의 수)$=9 - 1 = 8$(군데)
⇨ (가로수 사이의 간격)$=60 \div 8 = 7.5(m)$

6 45분$=\dfrac{45}{60}$시간$=\dfrac{3}{4}$시간$=0.75$시간
(자동차로 45분 동안 간 거리)
$=86 \times 0.75 = 64.5(km)$
⇨ (오토바이로 한 시간 동안 가는 거리)
$=64.5 \div 2 = 32.25(km)$

7 일주일은 7일입니다.
(하루 동안 빨라지는 시간)$=20.65 \div 7 = 2.95$(분)
(8일 동안 빨라지는 시간)$=2.95 \times 8 = 23.6$(분)
0.6분 → $60 \times 0.6 = 36$(초)
따라서 8일 후 오전 10시에 서우의 시계가 가리키는 시각은
오전 10시$+$23분 36초$=$오전 10시 23분 36초입니다.

8 $(9-5) \div 5 = 4 \div 5 = 0.8$,
$(13-4) \div 4 = 9 \div 4 = 2.25$,
$(22-8) \div 8 = 14 \div 8 = 1.75$이므로
위의 두 수의 차를 오른쪽 수로 나누면 아래 수가 되는 규칙입니다.
⇨ $(45-6) \div 6 = 39 \div 6 = 6.5$

1 0.15 kg	**2** 53.54
3 302.76 cm^2	**4** 21.9
5 8.79 kg	**6** 78.22 km
7 7.92	**8** 22 cm
9 2.33 cm	**10** 39.69 cm^2
11 민우, 0.14 m	**12** 1시간 19분 30초

1 (배 1개의 무게)$=6 \div 8 = 0.75(kg)$
(귤 1개의 무게)$=0.75 \div 5 = 0.15(kg)$

2 34.44와 65 사이를 똑같이 8칸으로 나누었으므로 수직선의 눈금 한 칸의 크기는
$(65-34.44) \div 8 = 30.56 \div 8 = 3.82$입니다.
$\square$ 안에 알맞은 수는 34.44에서 5칸 더 간 수입니다.
⇨ $\square = 34.44 + 3.82 \times 5 = 34.44 + 19.1 = 53.54$

3 (큰 정사각형의 한 변)$=92.8 \div 4 = 23.2(cm)$
(가장 작은 정사각형의 한 변)$=23.2 \div 4$
$= 5.8(cm)$
(가장 작은 정사각형의 넓이)$=5.8 \times 5.8$
$= 33.64(cm^2)$
⇨ (색칠된 부분의 넓이)
$=$(가장 작은 정사각형의 넓이)$\times 9$
$= 33.64 \times 9 = 302.76(cm^2)$

4 몫이 가장 큰 때는
(가장 큰 두 자리 수)$\div$(가장 작은 한 자리 수)이므로
$53 \div 2 = 26.5$입니다.
몫이 가장 작은 때는
(가장 작은 두 자리 수)$\div$(가장 큰 한 자리 수)이므로
$23 \div 5 = 4.6$입니다.
따라서 몫이 가장 큰 때와 가장 작은 때의 몫의 차는
$26.5 - 4.6 = 21.9$입니다.

5 (통조림 5개의 무게)$=18.96 - 13.31 = 5.65(kg)$
(통조림 1개의 무게)$=5.65 \div 5 = 1.13(kg)$

따라서 이 상자에서 통조림 4개를 더 꺼냈을 때 상자의 무게는
$13.31-1.13\times4=13.31-4.52=8.79$(kg)입니다.

6 3시간 12분$=3\frac{12}{60}$시간$=3\frac{2}{10}$시간$=3.2$시간
(정현이네 집에서 불국사까지의 거리)
$=97\times3.2+2.48=310.4+2.48=312.88$(km)
⇨ (자동차로 한 시간 동안 가는 거리)
$=312.88\div4=78.22$(km)

7 어떤 소수의 소수점을 오른쪽을 한 칸 옮기면 처음 수의 10배가 됩니다.
바르게 계산한 몫을 □라 하면 소수점을 오른쪽으로 한 칸 옮겨 적은 몫은 (10×□)입니다.
(잘못 옮겨 적은 몫)−(바르게 계산한 몫)
$=(10\times$□$)-$□$=9\times$□$=71.28$
⇨ □$=71.28\div9=7.92$
따라서 바르게 계산한 몫은 7.92입니다.

8 정사각형 ㄱㄴㄷㄹ의 넓이는 마름모 ㅁㅂㅅㅇ의 넓이의 2배이므로 $60.5\times2=121$(cm²)입니다.
$11\times11=121$이므로 정사각형 ㄱㄴㄷㄹ의 한 변의 길이는 11 cm입니다.
(작은 정사각형의 한 변의 길이)$=11\div4$
$=2.75$(cm)
따라서 빨간색 선의 길이는 작은 정사각형의 한 변의 길이의 8배이므로 $2.75\times8=22$(cm)입니다.

9 (겹쳐진 부분의 길이의 합)
$=$(색 테이프 10장의 길이의 합)
$-$(이어 붙인 색 테이프의 전체 길이)
$=12.5\times10-104.03$
$=125-104.03=20.97$(cm)
(겹쳐진 부분의 수)$=10-1=9$(군데)
따라서 색 테이프를 $20.97\div9=2.33$(cm)씩 겹치게 이어 붙였습니다.

10 처음 정사각형의 한 변을 □ cm라 하면
(처음 정사각형의 넓이)$=($□$\times$□$)$ cm²이고,
(새로 만든 직사각형의 넓이)
$=($□$\times3.5)\times($□$\times2)=($□$\times$□$\times7)$ cm²입니다.
⇨ (새로 만든 직사각형의 넓이)
$-$(처음 정사각형의 넓이)
$=($□$\times$□$\times7)-($□$\times$□$)=238.14,$
□$\times$□$\times6=238.14,$
□$\times$□$=238.14\div6=39.69$
따라서 처음 정사각형의 넓이는 39.69 cm²입니다.

11 4월은 30일까지 있으므로 4월 15일 오전 10시부터 5월 13일 오전 10시까지는 4주입니다.
(진서가 잰 죽순이 일주일 동안 자란 키)
$=(11.15-0.35)\div4=10.8\div4=2.7$(m)
(민우가 잰 죽순이 일주일 동안 자란 키)
$=(12.55-1.19)\div4=11.36\div4=2.84$(m)
따라서 $2.7<2.84$이므로 민우가 잰 죽순이 진서가 잰 죽순보다 키가 일주일 동안
$2.84-2.7=0.14$(m) 더 길게 자랐습니다.

12 (테니스를 1분 동안 칠 때 소모하는 열량)
$=30\div5=6$(kcal)
만둣국 1인분을 먹었을 때 섭취한 열량을 테니스를 쳐서 모두 소모하려면 테니스를
$477\div6=79.5$(분) 동안 쳐야 합니다.
0.5분 → $60\times0.5=30$(초)
따라서 윤주는 테니스를
79분 30초$=1$시간 19분 30초 동안 쳐야 합니다.

복습 최상위권 문제 **24~25쪽**

1 76.2 cm	**2** 60.8분
3 4.75	**4** 12.3 cm²
5 20분 24초 후	**6** 14분 45초 후

1 색칠한 직사각형의 가로를 □ cm라 하면 세로는
($□\times3$) cm입니다.
□$+$□$\times3=50.8\div2=25.4,$ □$\times4=25.4,$
□$=25.4\div4=6.35$입니다.
(정사각형의 한 변)$=6.35\times3=19.05$(cm)
⇨ (정사각형의 둘레)$=19.05\times4=76.2$(cm)

2 비법 PLUS 통나무 한 개를 ■번 자르면 (■-1)번 쉬게 됩니다.

통나무 한 개를 8도막으로 자르려면 7번 자르고 6번 쉬어야 합니다.
(7번 자르는 데 걸린 시간)$=25.6-1\times6$
$=25.6-6=19.6$(분)
(1번 자르는 데 걸린 시간)$=19.6\div7=2.8$(분)
통나무 한 개를 12도막으로 자르려면 11번 자르고 10번 쉬어야 합니다.
따라서 통나무 한 개를 한 번 자를 때마다 3분씩 쉬어 가며 12도막으로 자르는 데 걸리는 시간은
$2.8\times11+3\times10=30.8+30=60.8$(분)입니다.

3

> 비법 PLUS
> • 몫이 가장 큰 나눗셈 ➡ (가장 큰 수)÷(가장 작은 수)
> • 몫이 가장 작은 나눗셈 ➡ (가장 작은 수)÷(가장 큰 수)

㉠이 될 수 있는 자연수는 28, 29, 30, 31, 32, 33 입니다. 21÷6=3.5, 65.92÷8=8.24이므로 ㉡이 될 수 있는 자연수는 4, 5, 6, 7, 8입니다.

• ㉠÷㉡의 몫이 가장 클 때의 몫: 33÷4=8.25

• ㉠÷㉡의 몫이 가장 작을 때의 몫: 28÷8=3.5

따라서 몫이 가장 클 때와 가장 작을 때의 몫의 차는 8.25−3.5=4.75입니다.

4

> 비법 PLUS
> 이등변삼각형이 1초에 움직이는 거리를 이용하여 15초 후 이등변삼각형의 위치를 알아봅니다.

(이등변삼각형이 1초에 움직이는 거리)
$=7.04 \div 8 = 0.88$(cm)

(이등변삼각형이 15초 동안 움직이는 거리)
$=0.88 \times 15 = 13.2$(cm)

15초 후 두 도형의 위치는 오른쪽 그림과 같습니다. 서로 겹쳐진 부분은 밑변이 3 cm, 높이가 8.2 cm인 삼각형 모양입니다.

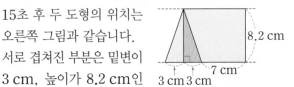

➡ (서로 겹쳐진 부분의 넓이)$=3 \times 8.2 \div 2$
$= 12.3$(cm²)

5 (동현이가 1분 동안 걷는 거리)
$=134 \div 4 = 33.5$(m)

(수빈이가 1분 동안 걷는 거리)
$=388 \div 8 = 48.5$(m)

(두 사람이 1분 동안 걷는 거리의 합)
$=33.5 + 48.5 = 82$(m)

따라서 두 사람은 출발한 지 $1672.8 \div 82 = 20.4$(분) → 20분 24초 후에 처음으로 만납니다.

6 삼각형 ㄱㅇㅁ의 넓이가 처음으로 마름모 ㄱㄴㄷㄹ의 넓이의 $\frac{1}{4}$이 되는 때는 오른쪽 그림과 같이 점 ㅁ이 점 ㄹ에 왔을 때입니다.

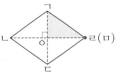

점 ㅁ이 움직인 거리는 변 ㄱㄹ의 길이와 같으므로 118 cm입니다.

따라서 삼각형 ㄱㅇㅁ의 넓이가 처음으로 마름모 ㄱㄴㄷㄹ의 넓이의 $\frac{1}{4}$이 되는 때는 출발한 지 $118 \div 8 = 14.75$(분) → 14분 45초 후입니다.

④ 비와 비율

복습 상위권 문제   **26~27쪽**

1 91 : 120	**2** 18 : 24
3 슬리퍼	**4** 71400원
5 30 %	**6** ㉮ 자동차

1 (평행사변형의 넓이)$=7 \times 13 = 91$(cm²)
(삼각형의 넓이)$=20 \times 12 \div 2 = 120$(cm²)
(평행사변형의 넓이) : (삼각형의 넓이) ➡ 91 : 120

2 $0.75 = \frac{75}{100} = \frac{3}{4}$

$\frac{3}{4}$은 분모와 분자의 차가 $4-3=1$이므로 $\frac{3}{4}$과 크기가 같고 분모와 분자의 차가 6인 분수는 $6 \div 1 = 6$에서 $\frac{3 \times 6}{4 \times 6} = \frac{18}{24}$입니다. 따라서 조건을 모두 만족하는 비는 18 : 24입니다.

3 • (운동화의 할인 금액)
$=40000 - 34000 = 6000$(원),
(운동화의 할인율)$=\frac{6000}{40000} \times 100 = 15$(%)

• (장화의 할인 금액)
$=25000 - 20500 = 4500$(원),
(장화의 할인율)$=\frac{4500}{25000} \times 100 = 18$(%)

• (슬리퍼의 할인 금액)
$=12000 - 9600 = 2400$(원),
(슬리퍼의 할인율)$=\frac{2400}{12000} \times 100 = 20$(%)

따라서 20 %＞18 %＞15 %이므로 할인율이 가장 높은 신발은 슬리퍼입니다.

4 (1년 동안의 이자율)$=\frac{1200}{60000} = 0.02$

(70000원을 1년 동안 예금할 때 받는 이자)
$=70000 \times 0.02 = 1400$(원)

➡ (70000원을 예금할 때 1년 뒤에 찾을 수 있는 돈)
$=70000 + 1400 = 71400$(원)

5 (진하기가 16 %인 소금물에 녹아 있는 소금의 양)
$=250 \times \frac{16}{100} = 40$(g)

(새로 만든 소금물에 녹아 있는 소금의 양)
$=40 + 50 = 90$(g)

(새로 만든 소금물의 양)=250+50=300(g)

⇨ (새로 만든 소금물의 진하기)

$$=\frac{90}{300}\times100=30(\%)$$

6 (㉮ 자동차의 연비)=$\frac{336}{24}$(=14)

(㉯ 자동차의 연비)=$\frac{416}{32}$(=13)

따라서 14>13이므로 ㉮ 자동차를 구입하셔야 합니다.

복습 상위권 문제 확인과 응용 　28~31쪽

1 ㉡, ㉢	**2** $\frac{6}{180000}\left(=\frac{1}{30000}\right)$
3 36대	**4** 144 : 119
5 75 %	**6** 15 %
7 164800원	**8** ㉯ 은행
9 40560원	**10** 930석
11 ㉠	**12** 80 g

1 각각의 비율을 분수로 나타내고 비교하는 양과 기준량의 크기를 비교합니다.

㉠ $\frac{5}{8}$ ⇨ 5<8　　㉡ $\frac{150}{100}$ ⇨ 150>100

㉢ $\frac{104}{100}$ ⇨ 104>100　㉣ $\frac{98}{100}$ ⇨ 98<100

따라서 비교하는 양이 기준량보다 큰 것은 ㉡, ㉢입니다.

2 1.8 km=1800 m=180000 cm

기준량은 180000 cm이고 비교하는 양은 6 cm입니다.

따라서 집에서 백화점까지 실제 거리에 대한 지도에서 거리의 비율은 $\frac{6}{180000}\left(=\frac{1}{30000}\right)$입니다.

3 올해 생산하는 에어컨의 불량률이 작년과 같은 3 %라면 올해 에어컨 1200대를 생산할 때 불량품은

$1200\times\frac{3}{100}=36$(대)입니다.

따라서 작년보다 불량률을 낮추려면 불량품은 36대 미만이어야 합니다.

4 정사각형의 둘레가 12×4=48(cm)이므로 직사각형의 가로는 48÷2-7=17(cm)입니다.

(정사각형의 넓이)=12×12=144(cm²)

(직사각형의 넓이)=17×7=119(cm²)

(정사각형의 넓이) : (직사각형의 넓이)

⇨ 144 : 119

5 삼각형의 밑변의 길이를 ☐ cm라 하면

☐×21÷2=294, ☐=294×2÷21=28입니다.

⇨ (삼각형의 밑변의 길이에 대한 높이의 비율)

$$=\frac{21}{28}\times100=75(\%)$$

6 (지난달에 판매한 요구르트 한 줄의 가격)

=3600÷6=600(원)

(이번 달에 판매한 요구르트 한 줄의 가격)

=5520÷8=690(원)

(요구르트 한 줄의 오른 금액)

=690-600=90(원)

⇨ (요구르트 한 줄의 인상률)

$$=\frac{90}{600}\times100=15(\%)$$

7 (50000원을 1년 동안 예금하여 받은 이자)

=51500-50000=1500(원)

(1년 동안의 이자율)=$\frac{1500}{50000}$=0.03

(160000원을 1년 동안 예금할 때 받는 이자)

=160000×0.03=4800(원)

⇨ (1년 뒤에 찾을 수 있는 돈)

=160000+4800=164800(원)

8 • (㉮ 은행의 1개월 이자)=19200÷4=4800(원),

(㉮ 은행의 월 이자율)=$\frac{4800}{300000}\times100=1.6(\%)$

• (㉯ 은행의 1개월 이자)=50400÷6=8400(원),

(㉯ 은행의 월 이자율)=$\frac{8400}{420000}\times100=2(\%)$

• (㉰ 은행의 1개월 이자)=88200÷18=4900(원),

(㉰ 은행의 월 이자율)=$\frac{4900}{350000}\times100=1.4(\%)$

따라서 2 %>1.6 %>1.4 %이므로 월 이자율이 가장 높은 ㉯ 은행에 예금하는 것이 가장 이익입니다.

9 (정가)$=40000+40000×\dfrac{30}{100}$

$=40000+12000=52000$(원)

➡ (할인된 가격)$=52000-52000×\dfrac{22}{100}$

$=52000-11440$

$=40560$(원)

10 KTX의 전체 좌석 수를 ☐석이라 하면

$☐×\dfrac{80}{100}×\dfrac{5}{8}=465,$ $☐×\dfrac{1}{2}=465,$

$☐=465×2=930$이므로

KTX의 전체 좌석은 930석입니다.

11 ·(㉠의 인상 전과 후의 판매 가격의 차)

$=250-220=30$(원),

(㉠의 인상률)$=\dfrac{30}{220}×100=13.6\cdots$ ➡ 13 %

·(㉡의 인상 전과 후의 판매 가격의 차)

$=490-440=50$(원),

(㉡의 인상률)$=\dfrac{50}{440}×100=11.3\cdots$ ➡ 11 %

·(㉢의 인상 전과 후의 판매 가격의 차)

$=2500-2220=280$(원),

(㉢의 인상률)$=\dfrac{280}{2220}×100=12.6\cdots$ ➡ 12 %

따라서 종량제 규격봉투의 인상률이 가장 높은 용량은 ㉠입니다.

12 (진하기가 36 %인 흑설탕 용액에 녹아 있는 흑설탕의 양)

$=100×\dfrac{36}{100}=36$(g)

더 넣은 물의 양을 ☐g이라 하여 새로 만든 흑설탕 용액의 진하기 구하는 식을 만들면

$\dfrac{36}{100+☐}×100=20$(%)입니다.

따라서 $36×100=20×(100+☐),$

$36×100÷20=100+☐,$ $100+☐=180,$

$☐=80$이므로 물 80 g을 더 넣었습니다.

---

1 1.4 **2** 1632 cm^2

3 25 g **4** 2.4 %

5 2432원 **6** 6 cm

1 ㉮의 ㉯에 대한 비율은 $\dfrac{㉮}{㉯}=1.75=\dfrac{7}{4}$이고,

㉰에 대한 ㉯의 비율은 $\dfrac{㉯}{㉰}=0.8=\dfrac{4}{5}$입니다.

따라서 ㉮의 ㉰에 대한 비율은

$\dfrac{㉮}{㉰}=\dfrac{㉮}{㉯}×\dfrac{㉯}{㉰}=\dfrac{7}{4}×\dfrac{4}{5}=\dfrac{7}{5}=1.4$입니다.

2 비법 PLUS

·(■ cm인 길이를 ★ % 늘였을 때의 길이)

$=\left(■+■×\dfrac{★}{100}\right)$cm

·(▲ cm인 길이를 ● % 줄였을 때의 길이)

$=\left(▲-▲×\dfrac{●}{100}\right)$cm

(새로 만든 직사각형의 가로)

$=40+40×\dfrac{20}{100}=40+8=48$(cm)

(새로 만든 직사각형의 세로)

$=40-40×\dfrac{15}{100}=40-6=34$(cm)

➡ (새로 만든 직사각형의 넓이)

$=48×34=1632$(cm^2)

3 비법 PLUS 더 넣은 설탕의 양을 ☐g이라 하고 새로 만든 설탕물의 진하기를 구하는 식을 이용하여 ☐의 값을 구합니다.

(진하기가 12 %인 설탕물에 녹아 있는 설탕의 양)

$=250×\dfrac{12}{100}=30$(g)

더 넣은 설탕의 양을 ☐g이라 하면 새로 만든 설탕물에 녹아 있는 설탕의 양은 $(30+☐)$ g이고,

새로 만든 설탕물의 양은 $(250+☐)$ g입니다.

새로 만든 설탕물의 진하기는

$\dfrac{30+☐}{250+☐}×100=20$이므로

$\dfrac{30+☐}{250+☐}=\dfrac{1}{5},$ $30+☐=\dfrac{1}{5}×(250+☐),$

$(30+☐)×5=250+☐,$

$150+☐×5=250+☐,$

$☐×4=100,$ $☐=25$입니다.

4 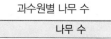 불량품 한 개당 이익금과 손해금의 합만큼 손해가 발생합니다.

- (제품 3000개가 모두 정상 제품일 때 하루 이익금)
  $=1500 \times 3000 = 4500000$(원)
- (총 손해금)$=4500000-4327200=172800$(원)
- 제품 3000개가 모두 정상 제품일 때보다 불량품 1개당 $1500+900=2400$(원)의 손해가 발생하므로 (불량품 수)$=172800 \div 2400 = 72$(개)입니다.
  $\Rightarrow$ (전체 제품 수에 대한 불량품 수의 비율)
  $= \dfrac{72}{3000} \times 100 = 2.4$(%)

5
- (㉠ 통장에서 3년 뒤 찾을 수 있는 돈)
  $=500000+500000 \times \dfrac{4}{100} \times 3$
  $=500000+60000=560000$(원)
- (㉡ 통장에서 원금과 1년 이자의 합계액)
  $=500000+500000 \times \dfrac{4}{100}$
  $=500000+20000=520000$(원)
- (㉡ 통장에서 2년 뒤 찾을 수 있는 돈)
  $=520000+520000 \times \dfrac{4}{100}$
  $=520000+20800=540800$(원)
- (㉡ 통장에서 3년 뒤 찾을 수 있는 돈)
  $=540800+540800 \times \dfrac{4}{100}$
  $=540800+21632=562432$(원)
  $\Rightarrow$ (3년 뒤 ㉠ 통장과 ㉡ 통장에서 찾을 수 있는 돈의 차)$=562432-560000=2432$(원)

6 (직사각형의 가로)$=126 \div 9 = 14$(cm)
㉮와 ㉯의 넓이의 비가 $2:5$이고 직사각형의 넓이는 ㉮와 ㉯의 넓이의 합과 같으므로
(㉮의 넓이) : (직사각형의 넓이) $\Rightarrow$ ㉮ : (㉮+㉯)
$\Rightarrow 2:(2+5) \Rightarrow 2:7$로 비율은 $\dfrac{2}{7}$입니다.

㉮의 넓이는 직사각형의 넓이의 $\dfrac{2}{7}$이므로

(㉮의 넓이)$=126 \times \dfrac{2}{7} = 36$(cm²)이고

(선분 ㄴㅁ)$=36 \times 2 \div 9 = 8$(cm)입니다.
  $\Rightarrow$ (선분 ㅁㄷ)$=14-$(선분 ㄴㅁ)
  $=14-8=6$(cm)

---

⑤ 여러 가지 그래프

1 4 cm   **2** 320만 원

3
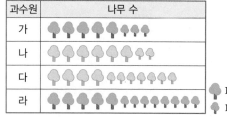
과수원별 나무 수

4 동후네 집, 19 kg

5 240권

6

활동별 시간

1 (푸른 마을의 비율)$= \dfrac{1000}{5000} \times 100 = 20$(%)
  $\Rightarrow$ (푸른 마을이 차지하는 길이)
  $=20 \times \dfrac{20}{100} = 4$(cm)

2 (저축이 아닌 쓰임새의 비율)
  $=100-20=80$(%)
저축이 아닌 쓰임새의 비율은 저축 비율의
$80 \div 20 = 4$(배)입니다.
따라서 저축을 한 금액이 80만 원이므로 저축이 아닌 쓰임새에 사용한 금액은 80만$\times 4=$320만 (원)입니다.

3 (네 과수원의 나무 수의 합)$=55 \times 4 = 220$(그루)
(나 과수원과 다 과수원의 나무 수의 합)
  $=220-53-58=109$(그루)
다 과수원의 나무 수를 □그루라 하면 나 과수원의 나무 수는 (□+15)그루입니다.
(□+15)+□=109, □+□=94, □=47이므로 다 과수원의 나무는 47그루, 나 과수원의 나무는 $47+15=62$(그루)입니다.

4 (유리네 집의 조 생산량)$=450 \times \dfrac{16}{100}=72(kg)$

(동후네 집의 조 생산량)$=350 \times \dfrac{26}{100}=91(kg)$

따라서 72 kg<91 kg이므로 동후네 집의 조 생산량이 $91-72=19(kg)$ 더 많습니다.

5 (과학책의 비율)$=\dfrac{72°}{360°} \times 100=20(\%)$

(위인전의 비율)$=100-42-20-10-12=16(\%)$

⇨ (위인전 수)$=1500 \times \dfrac{16}{100}=240(권)$

6 4시간=240분

• 숙제: 108분 ⇨ $\dfrac{108}{240} \times 100=45(\%)$

• 책상 정리: 12분 ⇨ $\dfrac{12}{240} \times 100=5(\%)$

• 간식 먹기: 24분 ⇨ $\dfrac{24}{240} \times 100=10(\%)$

• 피아노 치기: 60분 ⇨ $\dfrac{60}{240} \times 100=25(\%)$

• 저녁 식사: 36분 ⇨ $\dfrac{36}{240} \times 100=15(\%)$

복습 상위권 문제 확인과 응용 **36~39쪽**

1 권역별 초, 중, 고등학생 수

		강원
서울·인천·경기		
대전·세종·충청		대구·부산
광주·전라		울산·경상
제주		

👤100만 명
👤10만 명

2 2배

3 예 자전거 이용자 수가 점점 늘어나고 있으므로 자전거 도로를 더 넓히는 정책을 세울 수 있습니다.

4 4 cm

5 목장별 양의 수

목장	양의 수
가	🐑🐑🐑🐑🐑
나	🐑🐑🐑
다	🐑🐑🐑🐑🐑🐑
라	🐑🐑🐑🐑🐑🐑🐑🐑🐑

🐑 100마리
🐑 10마리

---

6 20명	**7** 60병
8 87명	**9** 30 %
10 28명	**11** 예 약 2배
12 약 180 km²	

1 • 서울·인천·경기: 272만 명 ⇨ 270만 명
• 대전·세종·충청: 64만 명 ⇨ 60만 명
• 광주·전라: 60만 명 ⇨ 60만 명
• 강원: 16만 명 ⇨ 20만 명
• 대구·부산·울산·경상: 138만 명 ⇨ 140만 명
• 제주: 8만 명 ⇨ 10만 명

2 140만÷(60만+10만)=140만÷70만=2(배)

4 (도형 문제의 비율)
$=100-32-18-16-14=20(\%)$
⇨ (도형 문제가 차지하는 길이)
$=20 \times \dfrac{20}{100}=4(cm)$

5 (네 목장의 양의 수의 합)$=285 \times 4=1140(마리)$
(나 목장과 라 목장의 양의 수의 합)
$=1140-410-250=480(마리)$
나 목장의 양의 수를 ☐마리라 하면 라 목장의 양의 수는 (☐×3)마리이므로 ☐+(☐×3)=480,
☐×4=480, ☐=120입니다.
따라서 나 목장의 양은 120마리이고, 라 목장의 양은 $120 \times 3=360(마리)$입니다.

6 (A형의 비율)$=24 \times 2=48(\%)$
(AB형의 비율)$=48 \times \dfrac{1}{4}=12(\%)$
(B형의 비율)$=100-48-24-12$
$\qquad\qquad\qquad =16(\%)$
⇨ (혈액형이 B형인 학생 수)
$=125 \times \dfrac{16}{100}=20(명)$

7 (가 회사의 비율)$=\dfrac{144°}{360°} \times 100=40(\%)$
(기타의 비율)$=100-40-20-15=25(\%)$
(기타 음료수 수)$=800 \times \dfrac{25}{100}=200(병)$

⇨ (라 회사의 음료수 수)$=200 \times \dfrac{30}{100}=60(병)$

8 (국군의 날 행사에 참가한 여군 수)

$$=3000 \times \frac{15}{100} = 450(명)$$

(여군 중 해군의 비율)$=\frac{54}{450} \times 100 = 12(\%)$

(여군 중 공군의 비율)$=100-62-12=26(\%)$

(여군 중 공군 수)$=450 \times \frac{26}{100} = 117(명)$

⇨ (조종사가 아닌 여자 공군 수)
　$=117-30=87(명)$

9 (가 꽃집에 있는 장미 수)

$$=300 \times \frac{25}{100} = 75(송이)$$

(나 꽃집에 있는 장미 수)

$$=500 \times \frac{33}{100} = 165(송이)$$

(두 꽃집에 있는 전체 꽃 수)

$$=300+500=800(송이)$$

(두 꽃집에 있는 장미 수)

$$=75+165=240(송이)$$

따라서 두 꽃집에 있는 장미는 두 꽃집의 꽃 전체의
$\frac{240}{800} \times 100 = 30(\%)$입니다.

10 (과학의 비율)

$$=100-66-8-10=16(\%)$$

(체육 또는 음악을 좋아하는 학생 수)

$$=200 \times \frac{66}{100} = 132(명)$$

음악을 좋아하는 학생 수를 □명이라 하면 체육을 좋아하는 학생 수는 (□+12)명이므로
(□+12)+□=132, □+□=120,
□=60입니다.

(과학을 좋아하는 학생 수)$=200 \times \frac{16}{100} = 32(명)$

따라서 음악을 좋아하는 학생은 과학을 좋아하는 학생보다 $60-32=28(명)$ 더 많습니다.

11 (두유의 단백질의 비율)

$$=100-85.5-3.6-5.9=5(\%)$$

(두부의 단백질의 비율)

$$=100-83.5-0.8-6.7=9(\%)$$

따라서 $5 \times 2 = 10$이므로 두부에 들어 있는 단백질은 두유에 들어 있는 단백질의 약 2배입니다.

12 유지 작물의 재배 면적은

약 $900 \times \frac{80}{100} = 720(\mathrm{km}^2)$이고, 들깨를 재배하는

면적은 약 $720 \times \frac{59}{100} = 424.8(\mathrm{km}^2)$, 참깨를 재배

하는 면적은 약 $720 \times \frac{34}{100} = 244.8(\mathrm{km}^2)$입니다.

따라서 들깨를 재배하는 면적은 참깨를 재배하는 면적보다 약 $424.8-244.8=180(\mathrm{km}^2)$ 더 넓습니다.

복습 최상위권 문제　　　　　　40~41쪽

1 27분	**2** 6개
3 20 %	**4** 11 cm^2
5 5학년	**6** 8460 g

1 　비법 PLUS　먼저 텔레비전 시청의 비율은 전체의 몇 %인지 구합니다.

(악기 연주의 비율)$=\frac{12}{60} \times 100 = 20(\%)$

(기타의 비율)$=\frac{18}{60} \times 100 = 30(\%)$

(텔레비전 시청의 비율)$=100-35-20-30$
　　　　　　　　　　　$=15(\%)$

3시간$=180분$

⇨ (텔레비전을 시청한 시간)
　$=180 \times \frac{15}{100} = 27(분)$

2 (기타 재료의 양)$=1600 \times \frac{8}{100} = 128(\mathrm{g})$

(이스트의 양)$=128 \times \frac{25}{100} = 32(\mathrm{g})$

따라서 $200 \div 32 = 6.25$이므로 이 우유 식빵을 6개까지 만들 수 있습니다.

3 　비법 PLUS　별 모양 쿠키를 제외한 나머지 쿠키의 비율을 전체로 할 때 삼각형 모양 쿠키의 비율을 구합니다.

(별 모양을 제외한 모양의 비율)$=100-40=60(\%)$

(삼각형 모양의 비율)
$=100-40-25-19-4=12(\%)$

따라서 삼각형 모양은 별 모양을 제외한 모양 전체의
$\frac{12}{60} \times 100 = 20(\%)$입니다.

4 (군것질의 비율)$=\dfrac{7700}{35000}\times100=22(\%)$

- (가로가 10 cm, 세로가 4 cm인 띠그래프의 넓이)
$=10\times4=40(\text{cm}^2)$
→ (군것질이 차지하는 넓이)
$=40\times\dfrac{22}{100}=8.8(\text{cm}^2)$

- (가로가 15 cm, 세로가 6 cm인 띠그래프의 넓이)
$=15\times6=90(\text{cm}^2)$
→ (군것질이 차지하는 넓이)
$=90\times\dfrac{22}{100}=19.8(\text{cm}^2)$

⇨ $19.8-8.8=11(\text{cm}^2)$

5 비법 PLUS⁺ 안경을 쓴 학생 수와 안경을 쓰지 않은 학생 수를 더하여 학년별 학생 수를 구합니다.

- (3학년 학생 수)
$=1000\times0.45\times0.12+1000\times0.55\times0.34$
$=54+187=241(\text{명})$
- (4학년 학생 수)
$=1000\times0.45\times0.2+1000\times0.55\times0.28$
$=90+154=244(\text{명})$
- (5학년 학생 수)
$=1000\times0.45\times0.3+1000\times0.55\times0.24$
$=135+132=267(\text{명})$
- (6학년 학생 수)
$=1000\times0.45\times0.38+1000\times0.55\times0.14$
$=171+77=248(\text{명})$
따라서 학생 수가 가장 많은 학년은 5학년입니다.

6 (빨강 구슬과 파랑 구슬 수의 합)
$=160+100=260(\text{개})$
(빨강 구슬과 파랑 구슬의 비율의 합)
$=100-30-5=65(\%)$
전체의 1 %가 $260\div65=4(\text{개})$이므로
노랑 구슬은 $4\times30=120(\text{개})$, 초록 구슬은
$4\times5=20(\text{개})$입니다.
따라서 바구니에 들어 있는 구슬은 모두
$(20\times160)+(30\times120)+(15\times100)+(8\times20)$
$=3200+3600+1500+160=8460(\text{g})$입니다.

6 직육면체의 부피와 겉넓이

복습 상위권 문제　　　　　　　42~43쪽

1 624 cm²	**2** 622 cm²
3 250개	**4** 2160 cm³
5 1600 cm³	**6** 46200 cm³

1 직육면체의 높이를 ☐ cm라 하면
$12\times12\times☐=1008$, $144\times☐=1008$, $☐=7$입니다.
⇨ (직육면체의 겉넓이)
$=12\times12\times2+12\times7\times4$
$=288+336=624(\text{cm}^2)$

2 위, 앞, 옆에서 본 모양을 이용하여 직육면체의 겨냥도를 그리면 오른쪽과 같습니다.

⇨ (직육면체의 겉넓이)
$=(5\times11+5\times16+11\times16)\times2$
$=(55+80+176)\times2=622(\text{cm}^2)$

3 상자의 가로에 $40\div4=10(\text{개})$,
세로에 $20\div4=5(\text{개})$, 높이에 $20\div4=5(\text{개})$ 놓을 수 있습니다.
⇨ (쌓을 수 있는 쌓기나무의 수)$=10\times5\times5$
$=250(\text{개})$

4

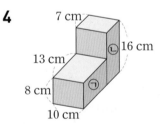

(직육면체 ㉠의 부피)$=10\times13\times8=1040(\text{cm}^3)$
(직육면체 ㉡의 부피)$=10\times7\times16=1120(\text{cm}^3)$
⇨ (입체도형의 부피)$=1040+1120=2160(\text{cm}^3)$

5 (늘어난 물의 높이)$=12-8=4(\text{cm})$
⇨ (돌의 부피)$=$(늘어난 물의 부피)
$=25\times16\times4=1600(\text{cm}^3)$

6 (사용한 끈의 길이)$=300-18=282(\text{cm})$
상자의 높이를 ☐ cm라 하면
$55\times2+30\times2+☐\times4=282$,
$110+60+☐\times4=282$, $☐\times4=112$, $☐=28$입니다.
⇨ (상자의 부피)$=55\times30\times28=46200(\text{cm}^3)$

1 72600 cm^2	**2** 3 cm
3 8 cm	**4** 7.2 m^3
5 960 cm^2	**6** 1000 m^3
7 12 cm	**8** 64000 cm^3
9 280 cm^3	**10** 531 cm^3
11 40 cm^3	**12** 41600 cm^2

1 1.1 m$=110$ cm이므로 위, 앞, 옆에서 본 모양을 이용하여 직육면체의 겨냥도를 그리면 오른쪽과 같이 한 모서리의 길이가 110 cm인 정육면체가 됩니다.

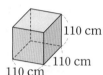

⇨ $110 \times 110 \times 6 = 72600$(cm^2)

2 입체도형은 쌓기나무 7개로 쌓은 모양이므로
(쌓기나무 한 개의 부피)$=189 \div 7 = 27$(cm^3)입니다.
쌓기나무 한 개의 한 모서리의 길이를 $\square$ cm라 하면 $\square \times \square \times \square = 27$이므로 $3 \times 3 \times 3 = 27$에서 $\square = 3$입니다.

3 (직육면체의 부피)$=2 \times 16 \times 4 = 128$(cm^3)
(정육면체의 부피)$=128 \times 4 = 512$(cm^3)
정육면체의 한 모서리의 길이를 $\square$ cm라 하면
$\square \times \square \times \square = 512$이므로 $8 \times 8 \times 8 = 512$에서
$\square = 8$입니다.

4 4 m$=400$ cm
세로를 $\square$ cm라 하면
$(400 \times \square + 400 \times 60 + \square \times 60) \times 2 = 324000$,
$460 \times \square + 24000 = 162000$,
$460 \times \square = 138000$, $\square = 300$입니다.
⇨ (직육면체의 부피)$=400 \times 300 \times 60$
$=7200000$(cm^3) → 7.2 m^3

5 두부 4조각의 겉넓이의 합은 처음 두부의 겉넓이보다 가로가 5 cm, 세로가 12 cm인 직사각형 4개와 가로가 15 cm, 세로가 12 cm인 직사각형 4개의 넓이의 합만큼 늘어납니다.
따라서 $5 \times 12 \times 4 + 15 \times 12 \times 4$
$=240 + 720 = 960$(cm^2) 더 늘어납니다.

다른 풀이 (처음 두부의 겉넓이)
$=(30 \times 10 + 30 \times 12 + 10 \times 12) \times 2 = 1560$(cm^2)
(4조각으로 나눈 두부의 겉넓이의 합)
$=(15 \times 5 + 15 \times 12 + 5 \times 12) \times 2 \times 4 = 2520$(cm^2)
⇨ $2520 - 1560 = 960$(cm^2)

6 정육면체의 겨냥도에서 보이지 않는 면은 3개입니다.
정육면체의 한 모서리의 길이를 $\square$ m라 하면
$\square \times \square \times 3 = 300$, $\square \times \square = 100$이므로
$10 \times 10 = 100$에서 $\square = 10$입니다.
⇨ (정육면체의 부피)$=10 \times 10 \times 10 = 1000$(m^3)

7 (벽돌의 부피)$=6 \times 6 \times 6 = 216$(cm^3)
벽돌을 넣어 늘어난 물의 높이를 $\square$ cm라 하면
(벽돌의 부피)$=$(늘어난 물의 부피)
$=9 \times 12 \times \square = 216$입니다.
$9 \times 12 \times \square = 216$, $108 \times \square = 216$, $\square = 2$
⇨ (벽돌을 넣은 후 물의 높이)$=10 + 2 = 12$(cm)

8 5와 8의 최소공배수는 40, 40과 10의 최소공배수는 40입니다.
5, 8, 10의 최소공배수는 40이므로 만든 가장 작은 정육면체의 한 모서리의 길이는 40 cm입니다.
⇨ (만든 정육면체의 부피)$=40 \times 40 \times 40$
$=64000$(cm^3)

9 만든 직육면체는 가로가 $11 + 4 = 15$(cm),
세로가 $20 \times \dfrac{85}{100} = 17$(cm), 높이가 8 cm입니다.
(처음 직육면체의 부피)
$=11 \times 20 \times 8 = 1760$(cm^3)
(만든 직육면체의 부피)
$=15 \times 17 \times 8 = 2040$(cm^3)
따라서 만든 직육면체의 부피는 처음 직육면체의 부피보다 $2040 - 1760 = 280$(cm^3) 더 큽니다.

10 (만들 수 있는 가장 큰 정육면체 모양의 한 면의 넓이)
$=486 \div 6 = 81$(cm^2)
정육면체 모양의 한 모서리의 길이를 $\square$ cm라 하면
$\square \times \square = 81$이므로 $9 \times 9 = 81$에서 $\square = 9$입니다.
만들 수 있는 가장 큰 정육면체 모양의 한 모서리의 길이는 직육면체의 가장 짧은 모서리의 길이와 같으므로 떡의 세로는 9 cm입니다.
⇨ (정육면체 모양을 잘라 내고 남은 부분의 부피)
$=14 \times 9 \times 10 - 9 \times 9 \times 9$
$=1260 - 729 = 531$(cm^3)

11 오른쪽 큰 정육면체는 가장 작은 정육면체
$4 \times 4 \times 4 = 64$(개)로 이루어져 있으므로
(가장 작은 정육면체의 부피)$=512 \div 64 = 8$(cm^3)
입니다.
초록색 조각의 부피는 가장 작은 정육면체 5개의 부피와 같으므로 $8 \times 5 = 40$(cm^3)입니다.

12 (눈 블록 한 개의 겉넓이)$=40 \times 40 \times 6$
$\qquad = 9600(\text{cm}^2)$

(눈 블록 7개의 겉넓이의 합)$=9600 \times 7$
$\qquad =67200(\text{cm}^2)$

(겹쳐진 면의 넓이의 합)$=40 \times 40 \times 16$
$\qquad =25600(\text{cm}^2)$

⇨ (쌓아서 만든 눈 블록의 겉넓이)
$\qquad =67200-25600=41600(\text{cm}^2)$

다른 풀이 쌓은 모양을 위, 앞, 옆에서 보았을 때 눈 블록의 한 면이 각각 4개, 7개, 2개 보이므로 쌓아서 만든 눈 블록의 겉넓이는 눈 블록 한 면의 넓이의 $(4+7+2) \times 2 = 26$(배)와 같습니다.

⇨ (쌓아서 만든 눈 블록의 겉넓이)$=40 \times 40 \times 26$
$\qquad =41600(\text{cm}^2)$

복습 **최상위권 문제** 48~49쪽

1 1144 cm^2 **2** 9240 cm^3
3 1734 cm^2 **4** 1296 cm^3
5 1472 cm^2 **6** 12 cm

---

1 입체도형의 겉넓이는 가로가 18 cm, 세로가 14 cm, 높이가 10 cm인 직육면체의 겉넓이와 같습니다.

⇨ (입체도형의 겉넓이)
$\qquad =(18 \times 14+18 \times 10+14 \times 10) \times 2$
$\qquad =(252+180+140) \times 2=1144(\text{cm}^2)$

2 네 귀퉁이에서 정사각형 모양을 오려 낸 후 접어서 만든 상자의 가로는 $69-7 \times 2=55$(cm),
세로는 $38-7 \times 2=24$(cm), 높이는 7 cm입니다.

⇨ (만든 상자의 부피)$=55 \times 24 \times 7=9240(\text{cm}^3)$

3 비법 PLUS⁺ 나무토막의 각 면에서 한 모서리의 길이가 4 cm인 정육면체의 면 4개의 넓이의 합만큼 페인트를 칠해야 하는 부분이 늘어납니다.

페인트를 칠해야 하는 부분의 넓이는 한 모서리의 길이가 15 cm인 정육면체의 겉넓이와 한 모서리의 길이가 4 cm인 정육면체의 한 면의 넓이의 $4 \times 6=24$(배)의 합과 같습니다.

⇨ (페인트를 칠해야 하는 부분의 넓이)
$\qquad =15 \times 15 \times 6+4 \times 4 \times 24$
$\qquad =1350+384=1734(\text{cm}^2)$

---

4 비어 있는 부분의 부피는 가로가 8 cm, 세로가 18 cm, 높이가 6 cm인 직육면체의 부피의 반입니다.

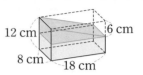

(비어 있는 부분의 부피)$=8 \times 18 \times 6 \div 2$
$\qquad =432(\text{cm}^3)$

(수조에 가득 채울 수 있는 물의 부피)
$\qquad =8 \times 18 \times 12=1728(\text{cm}^3)$

⇨ (남은 물의 부피)$=1728-432=1296(\text{cm}^3)$

5 비법 PLUS⁺ (색칠되지 않은 면의 수)
$\quad =$(쌓기나무 24개의 면의 수)$-$(색칠된 면의 수)

(색칠된 쌓기나무의 면의 수)
$=(12+8+6) \times 2=26 \times 2=52$(개)이므로
(쌓기나무 한 면의 넓이)$=832 \div 52=16(\text{cm}^2)$입니다.

쌓기나무 24개의 면은 $6 \times 24=144$(개)이므로 색칠되지 않은 쌓기나무의 면은 $144-52=92$(개)입니다.

⇨ (색칠되지 않은 면의 넓이의 합)
$\qquad =16 \times 92=1472(\text{cm}^2)$

6 비법 PLUS⁺ 물통에 쇠막대를 세웠을 때, 쇠막대가 물에 잠긴 높이와 물의 높이는 같습니다.

(처음 수조에 있던 물의 부피)
$\qquad =10 \times 18 \times 10=1800(\text{cm}^3)$

물과 물에 잠긴 쇠막대의 부피의 합에서 물에 잠긴 쇠막대의 부피를 빼면 처음 수조에 있던 물의 부피가 되므로 쇠막대를 세운 후 물의 높이를 □ cm라 하면 $10 \times 18 \times □-6 \times 5 \times □=1800$,
$180 \times □-30 \times □=1800$, $150 \times □=1800$,
$□=12$입니다.

개념부터 유형별 문제 풀이까지 한 번에!
수준에 따라 단계별 학습이 가능한 개념+유형!

개념 + 유형

라이트 찬찬히 익힐 수 있는 개념과 **기본 유형 복습** 시스템으로 **기본 완성!**
파 워 빠르게 학습할 수 있는 개념과 **단계별 유형 강화** 시스템으로 **응용 완성!**
최상위 탑 핵심 개념 설명과 잘 나오는 **상위권 유형 복습** 시스템으로 **최고수준 완성!**

라이트 초등 1~6학년 / 파워, 최상위 탑 초등 3~6학년

3600만 권 돌파

✚ 개념·플러스·유형·시리즈 개념과 유형이 하나로! 가장 효과적인 수학 공부 방법을 제시합니다.

대표전화 1544-0554
주소 서울특별시 구로구 디지털로33길 48 대륭포스트타워 7차 20층
협의 없는 무단 복제는 법으로 금지되어 있습니다.

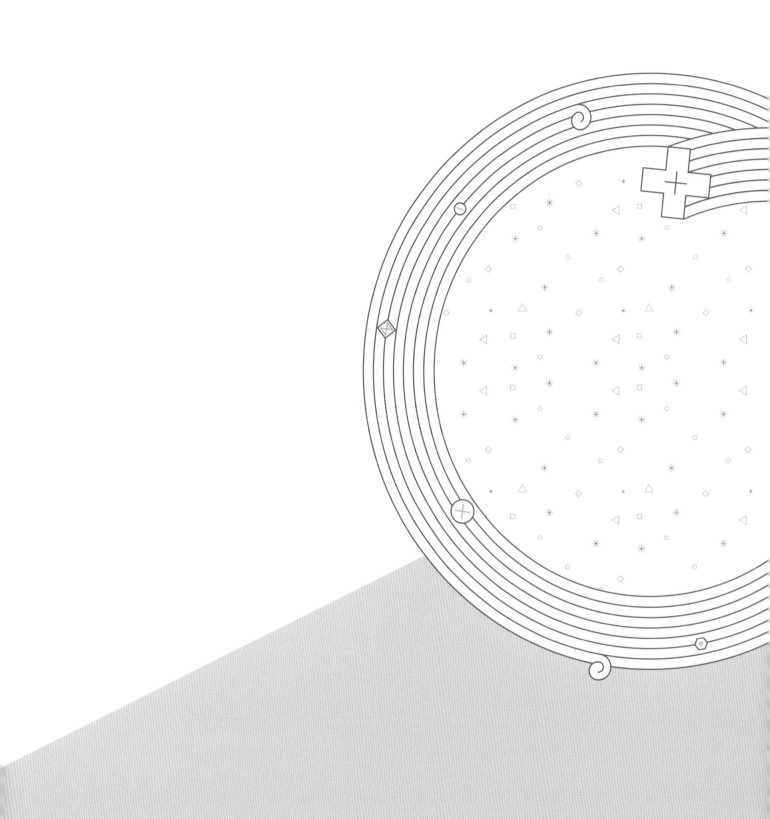

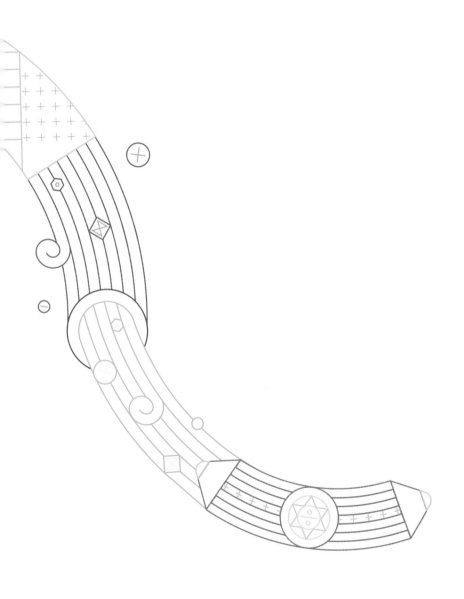

15개정 교육과정

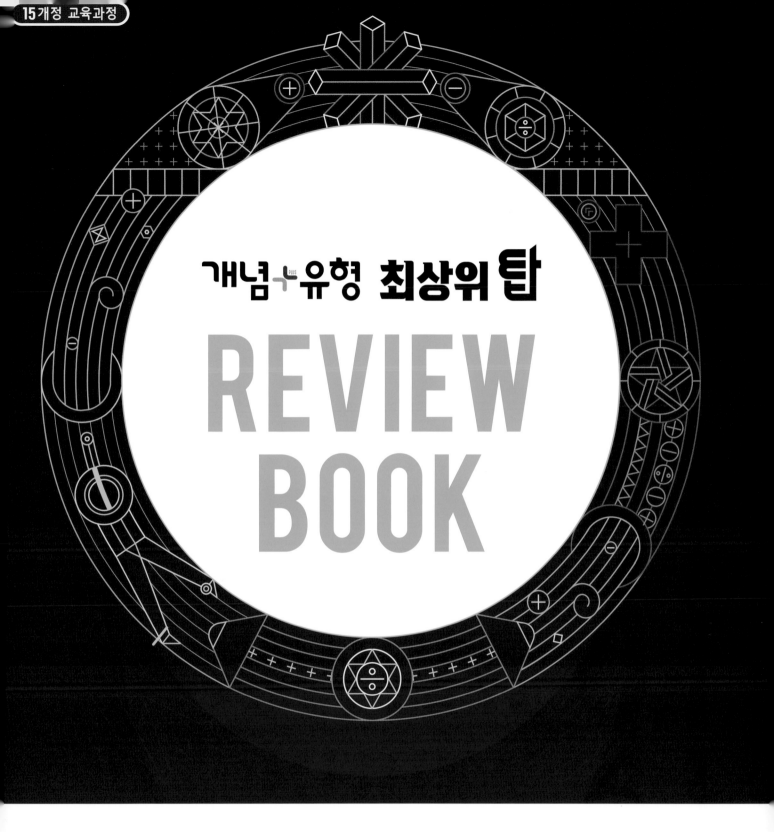

개념⁺유형 최상위 탑

REVIEW
BOOK

초등 수학
6·1

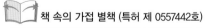 책 속의 가접 별책 (특허 제 0557442호)
· 'REVIEW BOOK'은 TOP BOOK에서 쉽게 분리할 수 있도록 제작되었으므로
  유통 과정에서 분리될 수 있으나 파본이 아닌 정상제품입니다.

우리는 남다른 상상과 혁신으로
교육 문화의 새로운 전형을 만들어
모든 이의 행복한 경험과 성장에 기여한다

ABOVE IMAGINATION

우리는 남다른 상상과 혁신으로
교육 문화의 새로운 전형을 만들어
모든 이의 행복한 경험과 성장에 기여한다

개념+유형
최상위 탑

Review
Book

6·1

대표유형 1

● 색칠한 부분의 넓이 구하기

오른쪽 그림은 직사각형을 똑같은 사각형 20개로 나눈 것입니다. 직사각형의 넓이가 $8\frac{8}{9}$ cm²일 때 색칠한 부분의 넓이는 몇 cm²인지 구해 보시오.

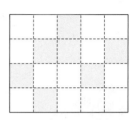

(   )

대표유형 2

● 도형의 넓이를 알 때 길이 구하기

오른쪽 삼각형의 밑변의 길이는 7 cm이고 넓이는 12 cm²입니다. 이 삼각형의 높이는 몇 cm인지 분수로 나타내어 보시오.

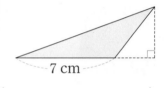

7 cm

(   )

대표유형 3

● 수직선에서 나타내는 수 구하기

수직선에서 ㉠이 나타내는 수를 구해 보시오.

(   )

대표유형 4

● 계산 결과가 가장 크거나 작은 나눗셈식 만들기

4장의 수 카드 3 , 4 , 7 , 5 를 모두 사용하여 (대분수)÷(자연수)의 나눗셈식을 만들려고 합니다. 계산 결과가 가장 클 때의 몫은 얼마인지 구해 보시오.

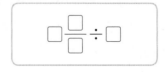

(   )

대표유형 **5**

• 계산 결과가 자연수가 되도록 만들기

다음 계산 결과가 가장 작은 자연수가 되도록 ♥에 알맞은 자연수를 구해 보시오.

$$2\frac{3}{4} \div 11 \times ♥$$

(   )

대표유형 **6**

• 상자에 들어 있는 물건의 무게 구하기

무게가 똑같은 동화책 9권이 들어 있는 상자의 무게를 재어 보니 $10\frac{1}{4}$ kg이었습니다. 빈 상자의 무게가 $\frac{4}{5}$ kg일 때 동화책 25권의 무게는 몇 kg인지 구해 보시오.

(   )

대표유형 **7**

• 고장 난 시계가 가리키는 시각 구하기

현우의 방에는 일정한 빠르기로 4일에 9분씩 빨라지는 시계가 있습니다. 현우가 어느 날 이 시계를 오전 10시에 정확히 맞추어 놓았다면 다음 날 오전 10시에 이 시계가 가리키는 시각은 오전 몇 시 몇 분 몇 초인지 구해 보시오.

(   )

신유형 **8**

• 배가 도착하는 데 걸리는 시간 구하기

강물이 한 시간에 3 km의 빠르기로 가 선착장에서 나 선착장 방향으로 흐르고 있습니다. 한 시간에 16 km의 빠르기로 이동하는 배가 나 선착장에서 출발하여 가 선착장에 가려고 합니다. 가 선착장과 나 선착장 사이의 거리가 20 km일 때, 이 배가 나 선착장에서 가 선착장까지 가는 데 걸리는 시간은 모두 몇 시간인지 분수로 나타내어 보시오.

(   )

1 수직선에서 ㉠이 나타내는 수를 구해 보시오.

$1\dfrac{1}{3}$ ㉠ $3\dfrac{1}{5}$

(   )

비법 NOTE

2 준우는 오른쪽과 같이 정육면체의 전개도를 그렸습니다. 정육면체의 전개도의 둘레가 $12\dfrac{4}{9}$ cm 일 때 전개도를 접어서 만든 정육면체의 모든 모서리의 길이의 합은 몇 cm인지 구해 보시오.

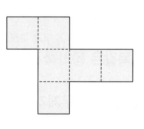

(   )

3 ㉮$=8\dfrac{1}{4}$이고 ㉯$=11$일 때, 다음 식의 값을 구해 보시오.

$$\dfrac{㉮}{㉯}\times(19-㉯)$$

(   )

4 오른쪽 그림은 가장 큰 평행사변형을 똑같은 사각형 8개로 나눈 것 중의 한 부분을 다시 똑같은 사각형 6개로 나눈 것입니다. 색칠한 부분의 넓이는 몇 m²인지 구해 보시오.

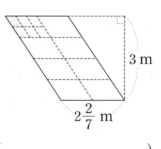

3 m

$2\dfrac{2}{7}$ m

(   )

빠른 정답 7쪽 —— 정답과 풀이 40쪽

5 무게가 똑같은 통조림 캔 16개가 들어 있는 상자의 무게를 재어 보니 $14\frac{1}{5}$ kg이었습니다. 빈 상자의 무게가 $\frac{1}{3}$ kg일 때 통조림 캔 30개의 무게는 몇 kg인지 구해 보시오.

(　　　　　　　　)

6 우리집과 이웃집이 쌀 $10\frac{1}{8}$ kg을 나누어 가졌습니다. 쌀을 이웃집이 우리집보다 $\frac{2}{5}$ kg 더 많이 가졌다면 우리집이 가진 쌀의 무게는 몇 kg인지 구해 보시오.

(　　　　　　　　)

7 그림과 같이 길이가 똑같은 색 테이프 17장을 $\frac{3}{4}$ cm씩 겹쳐지도록 이어 붙였더니 전체 길이는 $60\frac{1}{4}$ cm가 되었습니다. 색 테이프 한 장의 길이는 몇 cm인지 구해 보시오.

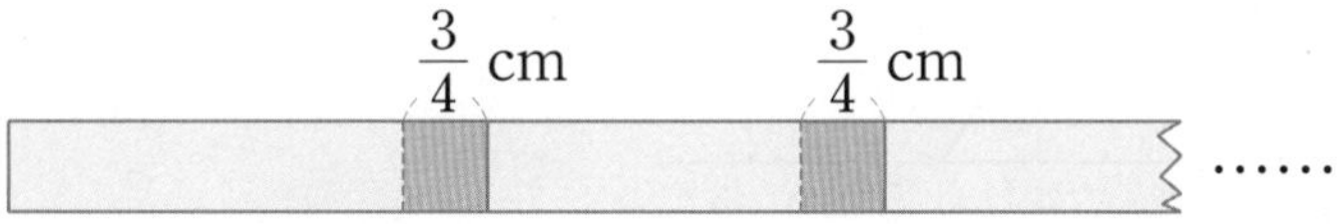

(　　　　　　　　)

비법 NOTE

8 어떤 일을 준하가 혼자서 하면 전체의 $\frac{1}{2}$을 하는 데 6일이 걸리고, 혜수가 혼자서 하면 전체의 $\frac{5}{6}$를 하는 데 5일이 걸립니다. 이 일을 두 사람이 함께 한다면 일을 모두 마치는 데 며칠이 걸리는지 구해 보시오. (단, 두 사람이 일하는 빠르기는 각각 일정합니다.)

(   )

비법 NOTE

9 오른쪽 그림과 같이 정사각형을 크기가 같은 4개의 직사각형으로 나누었습니다. 색칠한 부분의 둘레가 $16\frac{2}{3}$ cm일 때 정사각형의 둘레는 몇 cm인지 구해 보시오.

(   )

10 두 직선 가와 나는 서로 평행하고 평행사변형과 사다리꼴의 넓이의 합은 110 cm^2입니다. 평행사변형의 넓이는 몇 cm^2인지 분수로 나타내어 보시오.

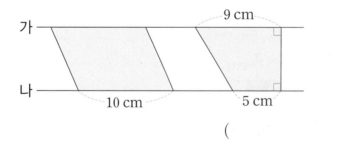

(   )

창의융합형 문제

11 산악 지역을 차를 타고 가다보면 오른쪽과 같은 표지판을 볼 수 있습니다. 이 표지판은 오르막길처럼 경사진 곳의 기울어진 정도를 말하는 경사도를 나타낸 것입니다. 어느 도로의 수직 거리와 수평 거리가 다음과 같을 때 가 도로와 다 도로의 경사도의 차는 얼마인지 기약분수로 나타내어 보시오. (단, (경사도)=(수직 거리)÷(수평 거리)입니다.)

도로	수직 거리(m)	수평 거리(m)
가	120	800
나	186	562
다	176	640

(   )

12 스텐실은 글자나 무늬, 그림 등의 모양을 오려낸 후 그 구멍에 물감을 넣어 그림을 찍어 내는 기법을 말합니다. 다음은 유정이가 스텐실 기법으로 만든 직사각형 모양의 작품입니다. 이 작품의 둘레가 $1\frac{1}{3}$ m일 때 넓이는 몇 m^2인지 구해 보시오.

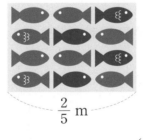

$\frac{2}{5}$ m

(   )

1 서진이와 태민이는 같은 장소에서 출발하여 서로 반대 방향으로 가고 있습니다. 서진이는 10분 동안 $\frac{1}{6}$ km를 가는 빠르기로 걸어가고, 태민이는 3분 동안 1 km를 가는 빠르기로 자전거를 타고 갑니다. 서진이와 태민이가 출발한 지 20분 후 두 사람 사이의 거리는 몇 km가 되는지 구해 보시오.

(   )

2 (보기)를 보고 다음을 계산해 보시오.

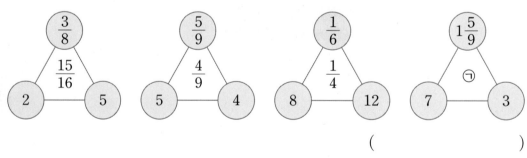

보기

$\blacksquare = \bullet + 1$일 때 $\dfrac{1}{\bullet \times \blacksquare} = \dfrac{1}{\bullet} - \dfrac{1}{\blacksquare}$ 입니다.

$$\left(\frac{1}{20} + \frac{1}{30} + \frac{1}{42} + \frac{1}{56} + \frac{1}{72} \right) \div 4$$

(   )

3 그림에서 규칙을 찾아 ㉠에 알맞은 수를 구해 보시오.

    $\dfrac{3}{8}$ $\dfrac{5}{9}$ $\dfrac{1}{6}$ $1\dfrac{5}{9}$

    $\dfrac{15}{16}$ $\dfrac{4}{9}$ $\dfrac{1}{4}$ ㉠

2   5   5   4   8   12   7   3

(   )

4 직사각형 ㄱㄴㄷㄹ에서 사다리꼴 ㄱㄴㅁㄹ의 넓이는 삼각형 ㄴㄷㅁ의 넓이의 5배입니다. 선분 ㅁㄷ의 길이는 몇 cm인지 구해 보시오.

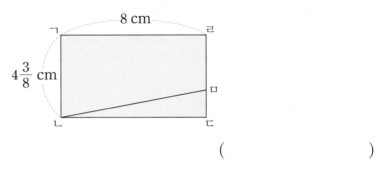

(　　　　　　　　　　)

5 똑같은 크기의 원 모양 색종이 2장을 오른쪽 그림과 같이 도화지에 붙였습니다. 색종이를 붙인 부분의 넓이가 40 cm²이고, 색종이 한 장의 넓이는 겹쳐진 부분의 넓이의 5배라고 합니다. 색종이 한 장의 넓이는 몇 cm²인지 분수로 나타내어 보시오.

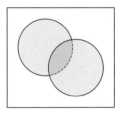

(　　　　　　　　　　)

6 물이 1분에 $3\frac{1}{4}$ L씩 나오는 ㉮ 수도와 1분에 5 L씩 나오는 ㉯ 수도를 동시에 틀면 물을 가득 채우는 데 20분이 걸리는 빈 욕조가 있습니다. 이 욕조에 ㉮와 ㉯ 수도를 모두 틀어 물을 채우다가 중간에 ㉯ 수도가 고장 나서 ㉮ 수도로만 물을 채웠더니 물을 가득 채우는 데 35분이 걸렸습니다. ㉯ 수도는 튼 지 몇 분 몇 초 만에 고장 난 것인지 구해 보시오.

(　　　　　　　　　　)

대표유형 **1**

• 각기둥의 꼭짓점, 면, 모서리의 수 구하기

면이 9개인 각기둥이 있습니다. 이 각기둥의 꼭짓점과 모서리의 수의 합은 몇 개인지 구해 보시오.

(   )

대표유형 **2**

• 각뿔의 꼭짓점, 면, 모서리의 수 구하기

꼭짓점이 7개인 각뿔이 있습니다. 이 각뿔의 면과 모서리의 수의 차는 몇 개인지 구해 보시오.

(   )

대표유형 **3**

• 각기둥의 모든 모서리의 길이의 합 구하기

전개도를 접었을 때 만들어지는 오각기둥의 모든 모서리의 길이의 합은 몇 cm인지 구해 보시오.

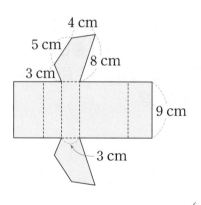

(   )

대표유형 4

• 각기둥의 전개도에서 선분의 길이 구하기

삼각기둥의 전개도에서 직사각형 ㄱㄴㄷㄹ의 넓이는 207 cm²입니다. 선분 ㄹㄷ 의 길이는 몇 cm인지 구해 보시오.

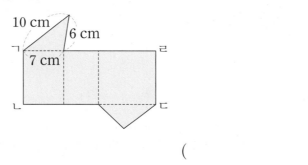

(   )

대표유형 5

• 자른 입체도형의 꼭짓점, 면, 모서리의 수 구하기

사각기둥을 색칠한 면을 따라 잘라 두 개의 각기둥을 만들었습니다. 이때 생기는 두 각기둥의 모서리의 수의 합은 몇 개인지 구해 보시오.

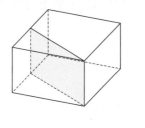

(   )

신유형 6

• 각기둥에 그은 선을 전개도에 나타내기

민서는 사각기둥 모양의 필통을 꾸미기 위해 왼쪽과 같이 사각기둥의 면에 선을 그었습니다. 이 사각기둥의 전개도가 오른쪽과 같을 때 그은 선을 전개도에 나타내어 보시오.

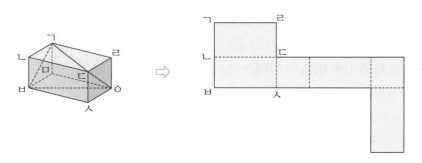

1 오른쪽 육각뿔의 모든 모서리의 길이의 합은 66 cm 입니다. 밑면의 모양이 정육각형일 때 밑면의 한 변의 길이는 몇 cm인지 구해 보시오. (단, 옆면은 모두 이 등변삼각형입니다.)

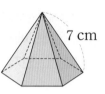

(   )

2 모서리가 18개인 각뿔과 면이 13개인 각뿔이 있습니다. 두 각뿔의 꼭짓점의 수의 합은 몇 개인지 구해 보시오.

(   )

3 삼각기둥의 전개도가 다음 (조건)을 모두 만족할 때 선분 ㄱㅅ의 길이는 몇 cm인지 구해 보시오.

─(조건)────────────
• 각기둥의 높이는 14 cm입니다.
• 면 ㉮의 넓이는 54 cm²입니다.
• 면 ㉯의 넓이는 126 cm²입니다.
────────────────────

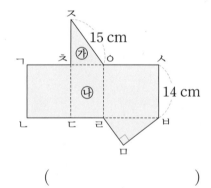

(   )

4 사각기둥 모양의 상자를 오른쪽 그림과 같이 끈으로 묶으려고 합니다. 필요한 끈의 길이는 몇 cm인지 구해 보시오. (단, 매듭의 길이는 20 cm입니다.)

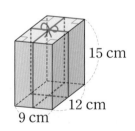

(   )

비법 NOTE

5 꼭짓점, 면, 모서리의 수의 합이 74개인 각기둥의 이름을 써 보시오.

(　　　　　)

비법 NOTE

6 옆면이 모두 오른쪽과 같은 삼각형으로 이루어진 각뿔이 있습니다. 이 각뿔의 모든 모서리의 길이의 합이 112 cm일 때 꼭짓점과 모서리의 수의 합은 몇 개인지 구해 보시오.

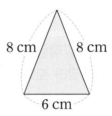

8 cm　8 cm
6 cm

(　　　　　)

7 다음과 같은 모양의 종이를 사용하여 입체도형을 만들려고 합니다. ㉮ 모양 2장, ㉯ 모양 2장, ㉰ 모양 1장을 모두 사용하여 만든 입체도형의 모든 모서리의 길이의 합은 몇 cm인지 구해 보시오.

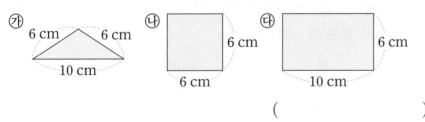

㉮ 6 cm　6 cm　10 cm
㉯ 6 cm　6 cm
㉰ 6 cm　10 cm

(　　　　　)

8 어느 각뿔의 모서리와 꼭짓점의 수의 합이 34개입니다. 이 각뿔과 밑면의 모양이 같은 각기둥의 꼭짓점, 면, 모서리의 수의 합은 몇 개인지 구해 보시오.

(   )

비법 NOTE

9 오른쪽은 밑면의 모양이 정칠각형인 각기둥입니다. 이 각기둥을 밑면에 수직으로 잘라 모양과 크기가 같은 각기둥 7개를 만들었습니다. 이때 생기는 각기둥 7개의 모서리의 수의 합은 몇 개인지 구해 보시오.

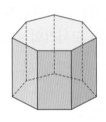

(   )

10 밑면이 정다각형이고 높이가 13 cm인 입체도형이 있습니다. 이 입체도형의 꼭짓점이 18개이고 옆면이 모두 오른쪽과 같을 때 모든 모서리의 길이의 합은 몇 cm인지 구해 보시오.

13 cm

5 cm

(   )

창의융합형 문제

11 다음은 산과 염기의 반응을 이용하여 치즈를 만드는 과정입니다.

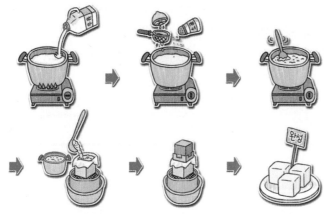

오른쪽 입체도형은 완성된 사각기둥 모양의 치즈의 세 꼭짓점 부분을 삼각뿔 모양만큼 잘라낸 것입니다. 같은 방법으로 남은 다섯 꼭짓점 부분을 모두 잘라낸 입체도형의 모서리는 몇 개인지 구해 보시오.

(   )

창의융합 PLUS

➕ **치즈 만들기**
치즈를 만들려면 끓인 우유에 레몬즙을 넣어서 우유 단백질을 엉기게 하여 덩어리로 만들어야 합니다. 이 덩어리를 모아 수분을 빼면 치즈가 됩니다.

12 경복궁에 있는 보물 제811호 아미산 굴뚝은 왕비가 머물던 교태전의 아궁이와 연결된 굴뚝입니다. 굴뚝의 지붕을 제외하고 아래 육각기둥 모양의 높이는 260 cm입니다. 육각기둥의 밑면이 정육각형이고 모든 모서리의 길이의 합이 2616 cm일 때 밑면의 한 변의 길이는 몇 cm인지 구해 보시오.

▲ 경복궁 아미산 굴뚝

(   )

➕ **경복궁 아미산 굴뚝**
경복궁 경회루의 연못을 만들면서 파낸 흙으로 교태전 후원을 조성하면서 아미산이라 이름을 지었고 그곳에 교태전의 아궁이와 연결된 굴뚝을 세웠습니다. 육각기둥의 각 면에는 사군자, 십장생, 봉황, 당초문 등으로 무늬를 새긴 부조물이 부착되어 있습니다.

복습 최상위권 문제

1 다음 (조건)을 모두 만족하는 입체도형의 꼭짓점은 몇 개인지 구해 보시오.

(조건)
- 모서리의 수가 밑면의 변의 수의 2배입니다.
- 면과 모서리의 수의 합은 46개입니다.

(   )

2 세 각기둥 ㉮, ㉯, ㉰가 있습니다. 세 각기둥의 모서리의 수의 합이 69개일 때 세 각기둥의 면의 수의 합은 몇 개인지 구해 보시오.

(   )

3 육각기둥의 전개도를 둘레가 가장 길게 되도록 만든다면 전개도의 둘레는 몇 cm인지 구해 보시오. (단, 밑면의 모양은 정육각형입니다.)

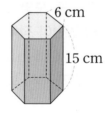
6 cm
15 cm

(   )

4 밑면의 모양이 같은 각기둥과 각뿔이 있습니다. 각기둥에서 꼭짓점, 면, 모서리의 수의 합과 각뿔에서 꼭짓점, 면, 모서리의 수의 합의 차가 14개일 때 각뿔의 이름을 써 보시오.

(　　　　　　　　)

5 높이가 14 cm인 팔각기둥의 옆면에 모두 페인트를 칠한 후 바닥에 놓고 한 방향으로 5바퀴 굴렸더니 바닥에 색칠된 부분의 넓이가 1120 cm²였습니다. 이 팔각기둥의 모든 모서리의 길이의 합은 몇 cm인지 구해 보시오.

(　　　　　　　　)

6 그림과 같이 사각기둥의 꼭짓점 ㄱ에서 점 ㅈ, 점 ㅊ, 점 ㅋ을 지나 꼭짓점 ㅁ까지 선을 그었습니다. 그은 선의 길이가 가장 짧을 때 선분 ㄴㅈ의 길이는 몇 cm인지 구해 보시오.

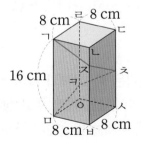

(　　　　　　　　)

대표유형 1

• 바르게 계산한 값 구하기

어떤 소수를 8로 나누어야 할 것을 잘못하여 8을 곱했더니 42.24가 되었습니다. 바르게 계산한 값을 구해 보시오.

(   )

대표유형 2

• 도형의 넓이를 이용하여 길이 구하기

오른쪽 그림은 정사각형의 한 변과 삼각형의 밑변을 겹치지 않게 붙여서 만든 도형입니다. 도형의 넓이가 87 cm^2일 때 삼각형의 높이는 몇 cm인지 구해 보시오.

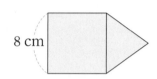

(   )

대표유형 3

• 수 카드로 몫이 가장 크거나 가장 작은 나눗셈식 만들기

수 카드 6 , 2 , 9 , 7 을 한 번씩만 사용하여 다음과 같은 나눗셈식을 만들려고 합니다. 몫이 가장 큰 나눗셈식을 만들고 계산해 보시오.

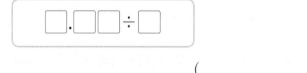

(   )

대표유형 4

• 물건의 무게 구하기

무게가 똑같은 풀 24개가 들어 있는 상자의 무게는 1002.4 g입니다. 이 상자에서 풀 6개를 꺼내 친구에게 주고 상자의 무게를 다시 재어 보니 784.3 g이었습니다. 풀 15개의 무게는 몇 g인지 구해 보시오.

(   )

대표유형 5

● 나무 사이의 간격 구하기

길이가 60 m인 직선 도로의 양쪽에 가로수 18그루를 같은 간격으로 심으려고 합니다. 도로의 시작과 끝에도 가로수를 심는다면 가로수 사이의 간격을 몇 m로 해야 하는지 구해 보시오. (단, 가로수의 두께는 생각하지 않습니다.)

(   )

대표유형 6

● 단위시간 동안 가는 거리 구하기

일정한 빠르기로 한 시간에 86 km를 가는 자동차가 있습니다. 이 자동차로 45분 동안 간 거리를 오토바이를 타고 가면 2시간이 걸린다고 합니다. 오토바이의 빠르기가 일정하다면 오토바이로 한 시간 동안 가는 거리는 몇 km인지 구해 보시오.

(   )

대표유형 7

● 고장 난 시계가 가리키는 시각 구하기

서우의 시계는 일정한 빠르기로 일주일에 20.65분씩 빨라집니다. 오늘 오전 10시에 서우의 시계를 정확히 맞추었습니다. 8일 후 오전 10시에 서우의 시계가 가리키는 시각은 오전 몇 시 몇 분 몇 초인지 구해 보시오.

(   )

신유형 8

● 규칙을 찾아 식을 세워 계산하기

다음을 보고 규칙을 찾아 빈칸에 알맞은 소수를 구해 보시오.

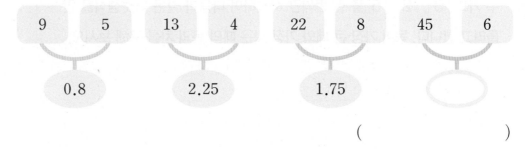

(   )

1 수박 1개의 무게는 배 8개의 무게와 같고, 배 1개의 무게는 귤 5개의 무게와 같습니다. 수박 1개의 무게가 6 kg일 때 귤 1개의 무게는 몇 kg인지 구해 보시오.

(   )

비법 NOTE

2 수직선에서 34.44와 65 사이를 똑같이 8칸으로 나누었을 때 ☐ 안에 알맞은 수를 구해 보시오.

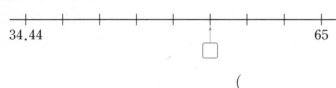

34.44   65

☐

(   )

3 오른쪽 그림과 같이 둘레가 92.8 cm인 정사각형을 16칸으로 똑같이 나누었습니다. 색칠된 부분의 넓이는 몇 cm^2인지 구해 보시오.

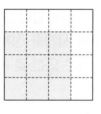

(   )

4 수 카드 3 , 2 , 5 를 한 번씩만 사용하여 다음과 같은 나눗셈식을 만들려고 합니다. 몫이 가장 클 때와 가장 작은 때의 몫의 차를 구해 보시오.

☐☐ ÷ ☐

(   )

빠른 정답 8쪽 ——— 정답과 풀이 46쪽

5 무게가 똑같은 통조림 16개가 들어 있는 상자의 무게는 18.96 kg입니다. 이 상자에서 통조림 5개를 꺼낸 후 상자의 무게를 다시 재어 보니 13.31 kg이었습니다. 이 상자에서 통조림 4개를 더 꺼냈을 때 상자의 무게는 몇 kg인지 구해 보시오.

(　　　　　　　)

비법 NOTE

6 정현이는 집에서 출발하여 불국사까지 가려고 합니다. 일정한 빠르기로 한 시간에 97 km를 가는 버스로 3시간 12분 동안 갔더니 남은 거리가 2.48 km였습니다. 정현이네 집에서 출발하여 불국사까지 자동차로 가는 데 4시간이 걸린다고 합니다. 자동차의 빠르기가 일정하다면 자동차로 한 시간 동안 가는 거리는 몇 km인지 구해 보시오.

(　　　　　　　)

7 어떤 나눗셈의 몫을 쓰는 데 잘못하여 소수점을 오른쪽으로 한 칸 옮겨 적었더니 바르게 계산한 몫과의 차가 71.28이 되었습니다. 바르게 계산한 몫을 구해 보시오.

(　　　　　　　)

8 다음 그림은 정사각형 ㄱㄴㄷㄹ을 합동인 작은 정사각형으로 나눈 것입니다. 마름모 ㅁㅂㅅㅇ의 넓이가 $60.5\,\text{cm}^2$일 때 빨간색 선의 길이는 몇 cm인지 구해 보시오.

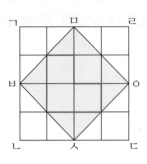

(   )

9 길이가 $12.5\,\text{cm}$인 색 테이프 10장을 그림과 같이 일정한 길이만큼씩 겹치게 이어 붙였더니 전체 길이가 $104.03\,\text{cm}$가 되었습니다. 색 테이프를 몇 cm씩 겹치게 이어 붙였는지 구해 보시오.

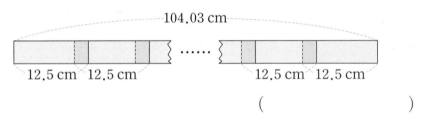

104.03 cm

12.5 cm 12.5 cm   12.5 cm 12.5 cm

(   )

10 어떤 정사각형의 가로를 3.5배로 늘이고 세로를 2배로 늘여서 직사각형을 만들었습니다. 새로 만든 직사각형의 넓이가 처음 정사각형의 넓이보다 $238.14\,\text{cm}^2$만큼 더 넓을 때, 처음 정사각형의 넓이는 몇 cm^2인지 구해 보시오.

(   )

💡 창의융합형 문제

11 죽순은 하루에 120 cm까지 자라는 놀라운 성장 속도로 유명합니다. 한 달을 초순·중순·하순으로 열흘씩 묶어 순으로 표시하는데 대나무의 어린 싹을 죽순이라 하는 것은 싹이 나와서 열흘(순)이면 대나무로 자라기 때문에 빨리 서둘지 않으면 못 먹게 된다고 하여 붙여진 이름이라고 합니다. 다음은 진서와 민우가 각각 죽순을 한 개씩 정하여 키를 재어 기록한 것입니다. 누가 잰 죽순의 키가 일주일 동안 몇 m 더 길게 자랐는지 구해 보시오. (단, 죽순은 각각 일정한 빠르기로 자랍니다.)

창의융합 PLUS

➕ **죽순**
죽순은 대나무류의 땅속줄기에서 돋아나는 어리고 연한 싹으로 성장한 대나무에서 볼 수 있는 모양을 모두 갖추고 있습니다. 죽순은 여러 영양분과 독특한 섬유질을 가진 고급 식품으로 조선시대 문헌에도 다양한 죽순 요리법이 소개되어 있습니다.

	4월 15일 오전 10시	5월 13일 오전 10시
진서	0.35 m	11.15 m
민우	1.19 m	12.55 m

(,)

12 비만은 음식으로 섭취하는 열량이 몸을 움직이며 소모하는 열량보다 많을 때 생깁니다. 다음은 몸무게가 55 kg인 여성이 5분 동안 운동을 할 때 운동의 종류별 소모하는 열량과 음식의 1인분당 열량을 각각 조사하여 나타낸 표입니다. 몸무게가 55 kg인 윤주가 만둣국 1인분을 먹었을 때 섭취한 열량을 테니스를 쳐서 모두 소모하려면 테니스를 몇 시간 몇 분 몇 초 동안 쳐야 하는지 구해 보시오.

➕ **비만**
열량 섭취량이 소비량보다 많아서 소모하지 못한 열량이 체지방으로 축적된 상태를 말합니다. 과식과 운동 부족 같은 생활 습관이 비만을 일으키는 원인입니다.

5분 동안 소모하는 열량

운동	열량(kcal)
걷기	17
테니스	30
탁구	20
줄넘기	25

음식의 1인분당 열량

음식	열량(kcal)
비빔밥	500
만둣국	477
떡볶이	482
잡채	206

( )

1 오른쪽 그림과 같이 정사각형을 합동인 3개의 직사각형으로 나누었습니다. 색칠한 직사각형의 둘레가 50.8 cm일 때 처음 정사각형의 둘레는 몇 cm인지 구해 보시오.

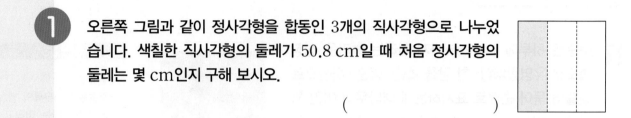

(   )

2 통나무 한 개를 한 번 자를 때마다 1분씩 쉬어 가며 8도막으로 자르는 데 25.6분이 걸렸습니다. 통나무 한 개를 한 번 자를 때마다 3분씩 쉬어 가며 12도막으로 자르려면 몇 분이 걸리는지 구해 보시오. (단, 통나무를 한 번 자르는 데 걸리는 시간은 같습니다.)

(   )

3 다음 조건을 만족하는 자연수 ㉠, ㉡이 있습니다. ㉠÷㉡의 몫이 가장 큰 때와 가장 작은 때의 몫의 차를 구해 보시오.

> • $27.3 < ㉠ < 34$
> • $21 ÷ 6 < ㉡ < 65.92 ÷ 8$

(   )

4 그림과 같은 이등변삼각형과 직사각형이 있습니다. 이등변삼각형이 화살표 방향으로 8초에 7.04 cm씩 일직선으로 움직인다면 15초 후 두 도형이 서로 겹쳐진 부분의 넓이는 몇 cm²인지 구해 보시오.

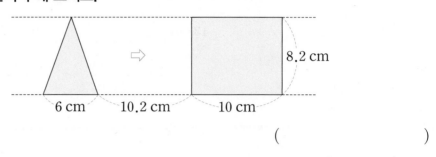

6 cm 10.2 cm 10 cm 8.2 cm

( )

5 둘레가 1672.8 m인 원 모양의 공원 둘레를 동현이와 수빈이가 같은 곳에서 동시에 출발하여 서로 반대 방향으로 걸었습니다. 동현이는 4분에 134 m, 수빈이는 8분에 388 m를 가는 빠르기로 걸었다면 두 사람은 출발한 지 몇 분 몇 초 후에 처음으로 만나는지 구해 보시오.

( )

6 오른쪽 마름모 ㄱㄴㄷㄹ의 한 변의 길이는 118 cm입니다. 점 ㅁ은 점 ㄱ을 출발하여 마름모의 둘레를 따라 시계 방향으로 1분에 8 cm씩 움직입니다. 삼각형 ㄱㅇㅁ의 넓이가 처음으로 마름모 ㄱㄴㄷㄹ의 넓이의 $\frac{1}{4}$이 되는 때는 점 ㅁ이 점 ㄱ을 출발한 지 몇 분 몇 초 후인지 구해 보시오.

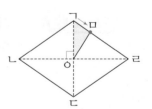

( )

• 도형의 넓이의 비 구하기

대표유형 **1** 평행사변형의 넓이와 삼각형의 넓이의 비를 구해 보시오.

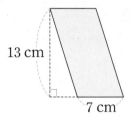

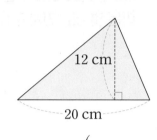

(   )

• 조건을 모두 만족하는 비 구하기

대표유형 **2** (조건)을 모두 만족하는 비를 구해 보시오.

┌─(조건)─────────────────┐
│ • 비율이 0.75입니다. │
│ • 기준량과 비교하는 양의 차가 6입니다. │
└──────────────────────────┘

(   )

• 할인율 구하기

대표유형 **3** 어느 신발 가게에서 판매하는 신발의 정가와 판매 가격을 나타낸 표입니다. 할인율이 가장 높은 신발은 무엇인지 구해 보시오.

신발	운동화	장화	슬리퍼
정가(원)	40000	25000	12000
판매 가격(원)	34000	20500	9600

(   )

빠른 정답 8쪽 ——— 정답과 풀이 48쪽

대표유형 4

• 예금하여 찾을 수 있는 돈 구하기

어느 은행에 60000원을 1년 동안 예금하면 이자로 1200원을 받는다고 합니다. 이 은행에 70000원을 예금한다면 1년 뒤에 찾을 수 있는 돈은 모두 얼마인지 구해 보시오.

( )

대표유형 5

• 새로 만든 용액의 진하기 구하기

진하기가 16 %인 소금물 250 g에 소금 50 g을 더 넣었습니다. 새로 만든 소금물의 진하기는 몇 %인지 구해 보시오.

( )

신유형 6

• 연비 비교하기

연비란 자동차의 단위 연료(1 L)당 주행 거리(km)의 비율로 연비가 높을수록 연료비를 절약할 수 있습니다. ㉮ 자동차는 연료 24 L를 넣으면 336 km를 달릴 수 있고, ㉯ 자동차는 연료 32 L를 넣으면 416 km를 달릴 수 있습니다. 진호 아버지께서는 ㉮ 자동차와 ㉯ 자동차 중 연비가 더 높은 자동차를 구입하시려고 합니다. 어떤 자동차를 구입하셔야 하는지 구해 보시오.

( )

1 비교하는 양이 기준량보다 큰 것을 모두 찾아 기호를 써 보시오.

> ㉠ $\frac{5}{8}$ ㉡ 150 % ㉢ 1.04 ㉣ 98 %

( )

2 우현이는 사회 시간에 마을 지도를 그렸습니다. 우현이네 집에서 백화점까지 실제 거리는 1.8 km인데 지도에는 6 cm로 그렸습니다. 우현이네 집에서 백화점까지 실제 거리에 대한 지도에서 거리의 비율을 분수로 나타내어 보시오.

( )

3 어느 에어컨 공장에서 작년에 생산한 에어컨의 불량률은 3 %였습니다. 올해 생산하는 에어컨의 불량률을 작년보다 낮추려고 합니다. 올해 에어컨 1200대를 생산한다면 불량품은 몇 대 미만이어야 하는지 구해 보시오.

( )

4 정사각형과 직사각형의 둘레가 같을 때 정사각형의 넓이와 직사각형의 넓이의 비를 구해 보시오.

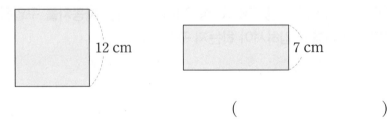

12 cm   7 cm

( )

빠른 정답 8쪽 —— 정답과 풀이 49쪽

비법 NOTE

5 넓이가 $294\ cm^2$이고 높이가 $21\ cm$인 삼각형이 있습니다. 이 삼각형의 밑변의 길이에 대한 높이의 비율은 몇 %인지 구해 보시오.

( )

6 다음은 어느 마트에서 똑같은 요구르트를 지난달과 이번 달에 판매한 가격입니다. 이번 달에는 지난달보다 요구르트 한 줄의 가격이 몇 % 올랐는지 구해 보시오.

지난달	이번 달
요구르트 6줄 ⇨ 3600원	요구르트 8줄 ⇨ 5520원

( )

7 어느 은행에 50000원을 예금하여 1년 뒤에 51500원을 찾았습니다. 이 은행에 160000원을 예금한다면 1년 뒤에 찾을 수 있는 돈은 모두 얼마인지 구해 보시오.

( )

8 ㉮, ㉯, ㉰ 은행에 예금한 돈과 예금한 기간, 이자를 조사하여 나타낸 표입니다. 세호 어머니는 800만 원을 예금하려고 합니다. 어느 은행에 예금하는 것이 가장 이익인지 구해 보시오. (단, 은행별로 이자율이 다르고 이자는 매달 같은 금액입니다.)

은행	예금한 돈(원)	예금한 기간(개월)	이자(원)
㉮ 은행	300000	4	19200
㉯ 은행	420000	6	50400
㉰ 은행	350000	18	88200

(   )

9 어느 옷 가게에서 원가가 40000원인 청바지 한 벌에 30 %의 이익을 붙여 정가를 정했습니다. 그런데 청바지가 팔리지 않아서 정가의 22 %를 할인하여 팔고 있습니다. 할인된 청바지 한 벌의 가격은 얼마인지 구해 보시오.

(   )

10 어느 KTX의 전체 좌석 중 80 %가 일반석이고, 일반석의 $\frac{5}{8}$에 승객이 앉았습니다. 일반석에 앉은 승객의 수가 465명이라면 이 KTX의 전체 좌석은 몇 석인지 구해 보시오.

(   )

창의융합형 문제

11 쓰레기의 배출량을 줄이고 재활용품을 분리 배출하도록 유도하기 위해 쓰레기종량제를 실시하고 있습니다. 서울 송파구에서는 2017년부터 다음과 같이 생활폐기물 종량제 규격봉투의 가격이 올랐습니다. 종량제 규격봉투의 인상률이 가장 높은 용량을 찾아 기호를 써 보시오. (단, 인상률은 자연수 부분까지 구합니다.)

용량	규격봉투 판매 가격	
	인상 전	인상 후
㉠ 10 L	220원	250원
㉡ 20 L	440원	490원
㉢ 100 L	2220원	2500원

( )

창의융합 PLUS

✚ **쓰레기종량제**
쓰레기 배출량에 따라 그 처리비를 차등적으로 부과함으로써 쓰레기 배출량이 늘어나면 처리비도 그만큼 많이 부담하는 제도로 1995년 1월 1일부터 쓰레기종량제를 전국적으로 시행하였습니다.

12 진하기가 36 %인 흑설탕 용액 100 g에 물 몇 g을 더 넣었더니 흑설탕 용액의 색이 연해졌습니다. 새로 만든 흑설탕 용액의 진하기가 20 %라면 물 몇 g을 더 넣은 것인지 구해 보시오.

( )

✚ **흑설탕 용액의 진하기**
흑설탕 용액과 같이 색깔이 있는 용액은 색을 비교하면 진하기를 비교할 수 있습니다. 진한 용액일수록 색이 더 진합니다.

1 세 자연수 ㉮, ㉯, ㉰가 있습니다. ㉮의 ㉯에 대한 비율은 1.75이고, ㉰에 대한 ㉯의 비율은 0.8입니다. ㉮의 ㉰에 대한 비율을 소수로 나타내어 보시오.

(   )

2 오른쪽 정사각형에서 가로는 20 % 늘이고, 세로는 15 % 줄여서 새로운 직사각형을 만들었습니다. 새로 만든 직사각형의 넓이는 몇 cm^2인지 구해 보시오.

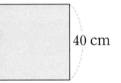

40 cm

(   )

3 진하기가 12 %인 설탕물 250 g에 설탕 몇 g을 더 넣었더니 진하기가 20 %가 되었습니다. 설탕 몇 g을 더 넣었는지 구해 보시오.

(   )

4 어느 공장에서는 정상 제품 한 개당 이익은 1500원이고 불량품 한 개당 900원의 손해가 발생한다고 합니다. 이 공장에서 하루에 제품 3000개를 생산했을 때 하루 이익금이 4327200원이라면 전체 제품 수에 대한 불량품 수의 비율은 몇 %인지 구해 보시오.

(　　　　　　　　　)

5 은행에서 이자를 계산하는 방법에는 단리법과 복리법이 있습니다. 단리법은 원금에 대해서만 이자를 계산하는 방법이고, 복리법은 원금에 대한 이자를 원금에 더한 뒤 이 합계액을 새로운 원금으로 계산하는 방법입니다. 은석이가 ㉠ 통장과 ㉡ 통장에 각각 500000원을 예금하려고 합니다. 3년 뒤 ㉠ 통장과 ㉡ 통장에서 찾을 수 있는 돈의 차는 얼마인지 구해 보시오.

㉠ 통장	㉡ 통장
단리로 연 4 %의 이자를 줍니다.	복리로 연 4 %의 이자를 줍니다.

(　　　　　　　　　)

6 직사각형 ㄱㄴㄷㄹ의 넓이는 126 cm²입니다. 이 직사각형을 선분 ㄱㅁ으로 나누면 ㉮와 ㉯의 넓이의 비는 2 : 5가 됩니다. 선분 ㅁㄷ의 길이는 몇 cm인지 구해 보시오.

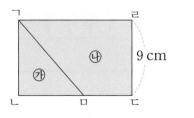

(　　　　　　　　　)

대표유형 1

• 띠그래프로 나타낼 때 항목이 차지하는 길이 구하기

마을별 고구마 수확량을 조사하여 나타낸 표입니다. 조사한 내용을 길이가 20 cm 인 띠그래프로 나타낼 때 푸른 마을이 차지하는 길이는 몇 cm인지 구해 보시오.

마을별 고구마 수확량

마을	장미 마을	풍년 마을	푸른 마을	산들 마을	기타	합계
수확량(kg)	1500	1250	1000	800	450	5000

(   )

대표유형 2

• 한 항목의 수를 알 때 나머지 항목이 나타내는 수 구하기

오른쪽은 예주네 집의 한 달 생활비의 쓰임새를 나타낸 원그래프입니다. 저축을 한 금액이 80만 원일 때 저축이 아닌 쓰임새에 사용한 금액은 얼마인지 구해 보시오.

생활비의 쓰임새별 금액

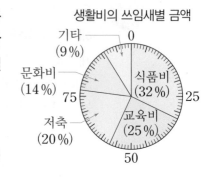

(   )

대표유형 3

• 모르는 자료의 값을 구하여 그림그래프 완성하기

과수원별 나무 수를 조사하여 나타낸 그림그래프입니다. 네 과수원의 나무는 평균 55그루이고, 나 과수원의 나무가 다 과수원의 나무보다 15그루 더 많을 때 그림그래프를 완성해 보시오.

과수원별 나무 수

과수원	나무 수
가	🌳🌳🌳🌳🌳🌳🌲🌲🌲
나	
다	
라	🌳🌳🌳🌳🌳🌳🌳🌳🌳🌳🌲

🌳 10그루
🌲 1그루

● 두 그래프 비교하기

대표유형 4

유리네 집과 동후네 집의 곡물 생산량을 조사하여 나타낸 띠그래프입니다. 유리네 집의 곡물 생산량은 450 kg이고, 동후네 집의 곡물 생산량은 350 kg입니다. 조 생산량은 누구네 집이 몇 kg 더 많은지 구해 보시오.

유리네 집의 곡물 생산량

0 10 20 30 40 50 60 70 80 90 100(%)

보리 (41%)	수수 (22%)	조 (16%)	기타 (13%)

콩(8%)

동후네 집의 곡물 생산량

0 10 20 30 40 50 60 70 80 90 100(%)

보리 (38%)	수수 (14%)	조 (26%)	기타 (15%)

콩(7%)

(,)

● 비율 대신 각도가 주어진 원그래프 알아보기

대표유형 5

오른쪽은 수진이네 학교 도서관에 있는 책 1500권을 조사하여 나타낸 원그래프입니다. 위인전은 몇 권인지 구해 보시오.

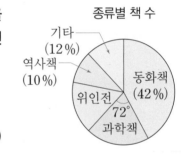

종류별 책 수

( )

● 시간표를 원그래프로 나타내기

신유형 6

하은이의 방과 후 4시간 동안의 활동을 조사하여 나타낸 시간표입니다. 시간표를 보고 원그래프로 나타내어 보시오.

시간표

시간	활동
15:00~16:48	숙제
16:48~17:00	책상 정리
17:00~17:24	간식 먹기
17:24~18:24	피아노 치기
18:24~19:00	저녁 식사

활동별 시간

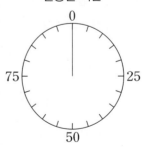

[1~2] 우리나라 권역별 초, 중, 고등학생 수를 조사하여 나타낸 표입니다. 물음에
답하시오.

권역별 초, 중, 고등학생 수

권역	학생 수(만 명)	권역	학생 수(만 명)
서울·인천·경기	272	강원	16
대전·세종·충청	64	대구·부산·울산·경상	138
광주·전라	60	제주	8

(출처: 초등학교·중학교·고등학교 개황, 국가 통계 포털, 2018.)

1 위의 표를 보고 학생 수를 반올림하여 십만의 자리까지 나타낸 그림그래프로 나타내어 보시오.

권역별 초, 중, 고등학생 수

👤 100만 명
👤 10만 명

2 위 1의 그림그래프에서 대구·부산·울산·경상 권역의 학생 수는 대전·세종·충청 권역과 제주 권역의 학생 수의 합의 몇 배인지 구해 보시오.

(   )

3 2005년부터 2015년까지 5년 간격으로 어느 도시의 교통수단별 이용자 수의 변화를 조사하여 나타낸 띠그래프입니다. 띠그래프를 보고 앞으로 이 도시의 교통 정책을 어떻게 세워야 할지 써 보시오.

교통수단별 이용자 수의 변화

	자전거	자가용	대중교통
2005년	19.3%	38.2%	42.5%
2010년	24.5%	35.3%	40.2%
2015년	26.6%	33.4%	40.0%

(   )

4 오른쪽은 어느 수학 시험에 있는 문제를 영역별로 조사하여 나타낸 원그래프입니다. 원그래프를 길이가 20 cm인 띠그래프로 나타낼 때 도형 문제가 차지하는 길이는 몇 cm인지 구해 보시오.

( )

영역별 문제 수

자료와 가능성 (14 %)
규칙성 (16 %)
측정 (18 %)
수와 연산 (32 %)
도형

비법 NOTE

5 목장별 양의 수를 조사하여 나타낸 그림그래프입니다. 네 목장의 양은 평균 285마리이고, 라 목장의 양의 수가 나 목장의 양의 수의 3배일 때 그림그래프를 완성해 보시오.

목장별 양의 수

목장	양의 수
가	🐑 🐑 🐑 🐑 🐑
나	
다	🐑 🐑 🐑 🐑 🐑 🐑 🐑
라	

🐑 100마리
🐑 10마리

6 현아네 학교 학생 125명의 혈액형을 조사하여 나타낸 띠그래프입니다. 혈액형이 A형인 학생은 O형인 학생의 2배이고, AB형인 학생은 A형인 학생의 $\frac{1}{4}$일 때 혈액형이 B형인 학생은 몇 명인지 구해 보시오.

혈액형별 학생 수

A형	O형 (24 %)	B형	AB형

( )

7 오른쪽은 가게에 있는 음료수 800병을 회사별로 조사하여 나타낸 원그래프입니다. 기타의 30 %가 라 회사의 음료수라면 라 회사의 음료수는 몇 병인지 구해 보시오.

( )

회사별 음료수 수

기타
가 회사 144°
다 회사 (15 %)
나 회사 (20 %)

비법 NOTE

8 국군의 날 행사에 참가한 군인 3000명 중에서 여군은 15 %이고, 여군을 소속별로 조사하여 나타낸 띠그래프는 다음과 같습니다. 조종사로 참가한 여자 공군이 30명이라면 조종사가 아닌 여자 공군은 몇 명인지 구해 보시오.

소속별 여군의 수

육군 (62 %)	공군	해군 (54명)

( )

9 가 꽃집과 나 꽃집에 있는 꽃의 수를 조사하여 나타낸 원그래프입니다. 가 꽃집에 있는 꽃은 300송이이고, 나 꽃집에 있는 꽃은 500송이입니다. 두 꽃집에 있는 장미는 두 꽃집의 꽃 전체의 몇 %인지 구해 보시오.

가 꽃집의 종류별 꽃의 수

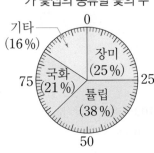

나 꽃집의 종류별 꽃의 수

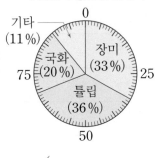

( )

10 오른쪽은 해원이네 학교 학생 200명이 좋아하는 과목을 조사하여 나타낸 원그래프입니다. 체육 또는 음악을 좋아하는 학생은 전체의 66 %이고, 체육을 좋아하는 학생이 음악을 좋아하는 학생보다 12명 더 많습니다. 음악을 좋아하는 학생은 과학을 좋아하는 학생보다 몇 명 더 많은지 구해 보시오.

좋아하는 과목별 학생 수

( )

창의융합형 문제

11 콩은 농작물 중에서 단백질의 양이 가장 많고, 아미노산의 종류도 육류에 비해 손색이 없어서 밭에서 나는 고기라고 부릅니다. 콩을 이용한 음식은 매우 다양한데 주변에서 흔하게 찾을 수 있는 식품에는 두유와 두부가 있습니다. 두유와 두부의 성분을 나타낸 원그래프를 보고 두부에 들어 있는 단백질은 두유에 들어 있는 단백질의 약 몇 배인지 구해 보시오.

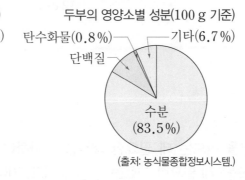

두유의 영양소별 성분(100 g 기준)
탄수화물(3.6 %) 기타(5.9 %)
단백질
수분
(85.5 %)

두부의 영양소별 성분(100 g 기준)
탄수화물(0.8 %) 기타(6.7 %)
단백질
수분
(83.5 %)

(출처: 농식물종합정보시스템.)

(   )

창의융합 PLUS

➕ 두유와 두부
• 두유: 물에 불린 콩을 갈아서 만든 음료로 중국에서는 예로부터 아기에게 모유 대신 두유를 먹였다고 합니다.
• 두부: 물에 불린 콩을 갈아서 짜낸 콩 물을 끓인 다음 간수를 넣어 엉기게 만든 식품으로 콩 제품 가운데 가장 대중적인 음식입니다.

12 우리나라에서 재배하는 특용 작물의 면적을 조사하여 나타낸 띠그래프와 특용 작물 중에서 기름을 짜서 이용하는 유지 작물의 면적을 조사하여 나타낸 원그래프입니다. 우리나라에서 들깨를 재배하는 면적은 참깨를 재배하는 면적보다 약 몇 km^2 더 넓은지 구해 보시오. (단, 우리나라에서 특용 작물을 재배하는 면적은 약 $900 \ km^2$입니다.)

특용 작물별 면적
0 10 20 30 40 50 60 70 80 90 100(%)

유지 작물
(80 %)
약용 작물
(16 %)
기타(4 %)

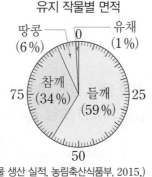

유지 작물별 면적
땅콩
(6 %)
0
유채
(1 %)
참깨
(34 %)
들깨
(59 %)
75
25
50

(출처: 특용 작물 생산 실적, 농림축산식품부, 2015.)

(   )

➕ 특용 작물
차, 목화 따위와 같이 식용이 아닌 특별한 용도로 쓰거나 참깨, 유채 따위와 같이 가공하여 식용으로 쓰는 작물을 특용 작물이라 하며 기후, 풍토에 의해 재배할 수 있는 작물이 제한되어 지역의 특산물로 발전하는 경우가 많습니다.

▲ 참깨로 만든 참기름

1 혁수가 3시간 동안 한 여가 활동을 조사하여 길이가 60 cm인 띠그래프로 나타내었습니다. 텔레비전을 시청한 시간은 몇 분인지 구해 보시오.

여가 활동별 시간

60 cm

독서 (35 %)	악기 연주	텔레비전 시청	기타

12 cm   18 cm

(   )

2 우유 식빵을 만드는 데 필요한 재료를 조사하여 나타낸 원그래프입니다. 우유 식빵 1개를 만드는 데 필요한 재료는 1600 g이고, 기타의 25 %가 이스트입니다. 이스트가 200 g 있다면 이 우유 식빵을 몇 개까지 만들 수 있는지 구해 보시오.

우유 식빵의 재료

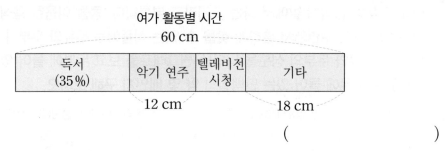

버터 (5 %) / 기타 (8 %) / 우유 (37 %) / 밀가루 (50 %)

(   )

3 쿠키 상자 안에 들어 있는 쿠키의 모양을 조사하여 나타낸 띠그래프입니다. 삼각형 모양은 별 모양을 제외한 모양 전체의 몇 %인지 구해 보시오.

모양별 쿠키의 수

별 (40 %)	하트 (25 %)	원 (19 %)	삼각형	사각형 (4 %)

(   )

4 동우가 한 달에 쓴 용돈의 쓰임새를 나타낸 표입니다. 표를 보고 가로가 10 cm, 세로가 4 cm인 띠그래프와 가로가 15 cm, 세로가 6 cm인 띠그래프로 각각 나타낼 때 군것질이 차지하는 넓이의 차는 몇 cm²인지 구해 보시오. (단, 두 띠그래프는 모두 직사각형 모양입니다.)

용돈의 쓰임새별 금액

용돈의 쓰임새	학용품	군것질	저금	기타	합계
금액(원)	13300	7700	5250	8750	35000

(   )

5 어느 마을에서 3학년부터 6학년까지 학생 1000명의 안경 착용 여부를 조사하여 나타낸 원그래프와 학년별로 안경을 쓴 학생과 쓰지 않은 학생을 조사하여 나타낸 띠그래프입니다. 이 마을에서 학생 수가 가장 많은 학년은 몇 학년인지 구해 보시오.

안경 착용 여부

학년별 안경을 쓴 학생 수

3학년 (12%)	4학년 (20%)	5학년 (30%)	6학년 (38%)

학년별 안경을 쓰지 않은 학생 수

3학년 (34%)	4학년 (28%)	5학년 (24%)	6학년 (14%)

(   )

6 바구니에 들어 있는 구슬의 색깔을 조사하여 나타낸 원그래프와 색깔별 구슬 한 개의 무게를 나타낸 표입니다. 바구니에 들어 있는 구슬은 모두 몇 g인지 구해 보시오.

색깔별 구슬의 수

색깔별 구슬의 무게

색깔	무게(g)	색깔	무게(g)
빨강	20	파랑	15
노랑	30	초록	8

(   )

대표유형 **1**

• 직육면체의 부피를 이용하여 겉넓이, 겉넓이를 이용하여 부피 구하기

직육면체의 부피가 1008 cm³일 때 겉넓이는 몇 cm²인지 구해 보시오.

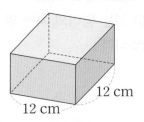

12 cm
12 cm

(   )

대표유형 **2**

• 위, 앞, 옆에서 본 모양을 보고 직육면체의 겉넓이 구하기

직육면체를 위, 앞, 옆에서 본 모양입니다. 직육면체의 겉넓이는 몇 cm²인지 구해 보시오.

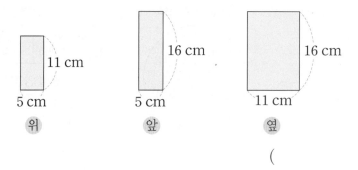

11 cm
5 cm
위

16 cm
5 cm
앞

16 cm
11 cm
옆

(   )

대표유형 **3**

• 빈틈없이 쌓을 수 있는 물건의 수 구하기

오른쪽과 같은 직육면체 모양의 상자에 한 모서리의 길이가 4 cm인 정육면체 모양의 쌓기나무를 빈틈없이 쌓으려고 합니다. 쌓기나무를 몇 개까지 쌓을 수 있는지 구해 보시오.

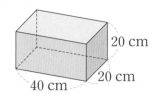

20 cm
20 cm
40 cm

(   )

● 복잡한 입체도형의 부피 구하기

대표유형 4
직육면체 2개를 붙여서 만든 입체도형의 부피는 몇 cm³인지 구해 보시오.

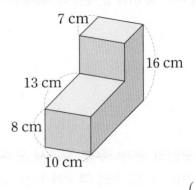

(   )

● 물속에 넣은 돌의 부피 구하기

대표유형 5
그림과 같은 직육면체 모양의 물통에 물이 8 cm 높이만큼 들어 있습니다. 이 물통에 돌을 완전히 잠기게 넣었더니 물의 높이가 12 cm가 되었습니다. 돌의 부피는 몇 cm³인지 구해 보시오.

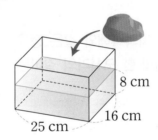

(   )

● 묶는 데 사용한 끈의 길이를 이용하여 부피 구하기

신유형 6
직육면체 모양의 상자에 길이가 300 cm인 끈을 그림과 같이 둘러 묶었더니 18 cm가 남았습니다. 상자의 부피는 몇 cm³인지 구해 보시오. (단, 매듭의 길이는 생각하지 않습니다.)

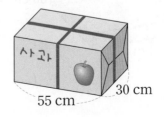

(   )

1 직육면체를 위, 앞, 옆에서 본 모양이 모두 오른쪽과 같을 때 직육면체의 겉넓이는 몇 cm²인지 구해 보시오.

(　　　　　　　　)

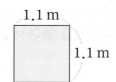

1.1 m

1.1 m

2 크기가 같은 정육면체 모양의 쌓기나무를 쌓아서 오른쪽과 같이 만들었습니다. 만든 입체도형의 부피가 189 cm³일 때 쌓기나무 한 개의 한 모서리의 길이는 몇 cm인지 구해 보시오. (단, 보이지 않는 쌓기나무는 없습니다.)

(　　　　　　　　)

3 부피가 오른쪽 직육면체 부피의 4배와 같은 정육면체가 있습니다. 정육면체의 한 모서리의 길이는 몇 cm인지 구해 보시오.

(　　　　　　　　)

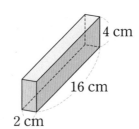

4 cm

16 cm

2 cm

4 직육면체의 겉넓이는 324000 cm²입니다. 부피는 몇 m³인지 구해 보시오.

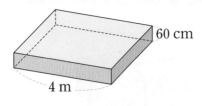

60 cm

4 m

(　　　　　　　　)

5 직육면체 모양의 두부를 오른쪽과 같이 똑같은 직육면체 모양 4조각으로 잘랐습니다. 두부 4조각의 겉넓이의 합은 처음 두부의 겉넓이보다 몇 cm^2 더 늘어나는지 구해 보시오.

비법 NOTE

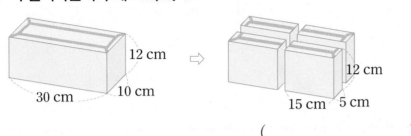

(   )

6 오른쪽 정육면체의 겨냥도에서 보이지 않는 면의 넓이의 합은 $300 \ m^2$입니다. 정육면체의 부피는 몇 m^3인지 구해 보시오.

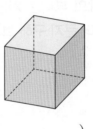

(   )

7 왼쪽 정육면체 모양의 벽돌을 오른쪽 직육면체 모양의 수조에 완전히 잠기게 넣으면 물의 높이는 몇 cm가 되는지 구해 보시오.

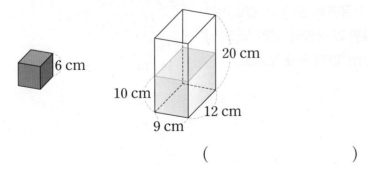

(   )

8 오른쪽과 같은 직육면체 모양의 상자를 빈틈없이 쌓아 가장 작은 정육면체를 만들었습니다. 만든 정육면체의 부피는 몇 cm^3인지 구해 보시오.

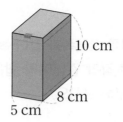

10 cm

8 cm

5 cm

(　　　　　　　　　)

9 오른쪽 직육면체의 가로는 4 cm 더 늘이고 세로는 85 %로 줄여서 새로운 직육면체를 만들었습니다. 만든 직육면체의 부피는 처음 직육면체의 부피보다 몇 cm^3 더 큰지 구해 보시오.

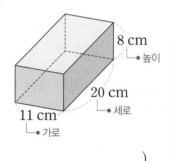

8 cm
└ 높이

20 cm
└ 세로

11 cm
└ 가로

(　　　　　　　　　)

10 오른쪽과 같은 직육면체 모양의 떡을 잘라서 만들 수 있는 가장 큰 정육면체 모양의 겉넓이는 $486\ cm^2$입니다. 정육면체 모양을 잘라 내고 남은 부분의 부피는 몇 cm^3인지 구해 보시오.

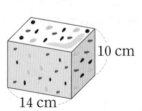

10 cm

14 cm

(　　　　　　　　　)

창의융합형 문제

11 베들람 큐브는 왼쪽과 같이 크기가 같은 정육면체 4개 또는 5개를 이어 붙여 만든 13개의 조각으로 오른쪽과 같은 큰 정육면체를 만들 수 있는 퍼즐입니다. 오른쪽의 큰 정육면체의 부피가 512 cm^3일 때 초록색 조각의 부피는 몇 cm^3인지 구해 보시오.

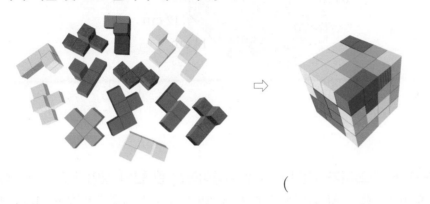

(   )

창의융합 PLUS

✦ 베들람 큐브
 (Bedlam cube)
베들람 큐브는 한 모서리에 정육면체가 4개씩 되도록 조립하는 퍼즐로 이 퍼즐을 개발한 브루스 베들람의 이름을 딴 것입니다. 13개의 조각으로 정육면체를 만드는 방법은 뒤집거나 돌리는 경우를 제외하고 19186가지가 있습니다.

12 이글루(igloo)는 눈이나 얼음덩어리로 만든 돔 모양의 이누이트의 집을 말합니다. 한 모서리의 길이가 40 cm인 정육면체 모양의 눈 블록 7개를 오른쪽과 같이 쌓아서 이글루의 벽을 쌓으려고 합니다. 쌓아서 만든 눈 블록의 겉넓이는 몇 cm^2인지 구해 보시오.

 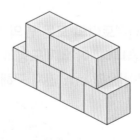

(   )

✦ 이누이트(Innuit)
그린란드, 캐나다, 알래스카, 시베리아 등 북극해 연안에 사는 원주민을 이누이트라고 합니다. '에스키모'라는 말은 '날고기를 먹는 인간'이라는 비하의 뜻이 있어서 에스키모라고 불리는 것을 싫어하고 그들 스스로가 부르는 이누이트라고 불리기를 원합니다.

1 큰 직육면체에서 직육면체 모양 2개를 잘라 낸 입체도형입니다. 입체도형의 겉넓이는 몇 cm^2인지 구해 보시오.

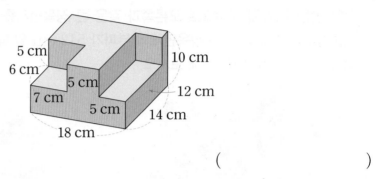

(   )

2 직사각형 모양의 색 도화지가 있습니다. 네 귀퉁이에서 한 변의 길이가 7 cm인 정사 각형 모양을 오려 낸 후 점선 부분을 접어서 뚜껑이 없는 상자를 만들었습니다. 만든 상자의 부피는 몇 cm^3인지 구해 보시오.

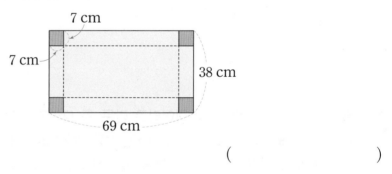

(   )

3 정육면체 모양의 나무토막의 모든 면의 한가운데를 한 모서리의 길이가 4 cm인 정육 면체 모양으로 팠습니다. 이 입체도형의 모든 면에 페인트를 칠한다면 페인트를 칠해 야 하는 부분의 넓이는 몇 cm^2인지 구해 보시오.

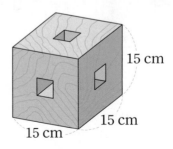

(   )

4 직육면체 모양의 수조에 물을 가득 채운 다음 오른쪽과 같이 수조를 기울였더니 물의 일부가 흘러넘쳤습니다. 남은 물의 부피는 몇 cm³인지 구해 보시오.

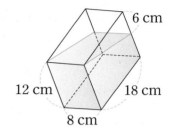

(   )

5 크기가 같은 정육면체 모양의 쌓기나무 24개를 오른쪽과 같이 쌓은 후 모든 겉면에 색을 칠했습니다. 색칠한 쌓기나무 24개를 각각 떼어 놓았을 때 색칠된 면의 넓이의 합이 832 cm²였습니다. 색칠되지 않은 면의 넓이의 합은 몇 cm²인지 구해 보시오.

(   )

6 오른쪽과 같이 직육면체 모양의 수조에 물을 10 cm 높이만큼 넣은 후 가로가 6 cm, 세로가 5 cm인 직육면체 모양의 쇠막대를 세웠습니다. 물의 높이는 몇 cm가 되는지 구해 보시오.

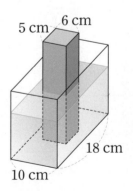

(   )